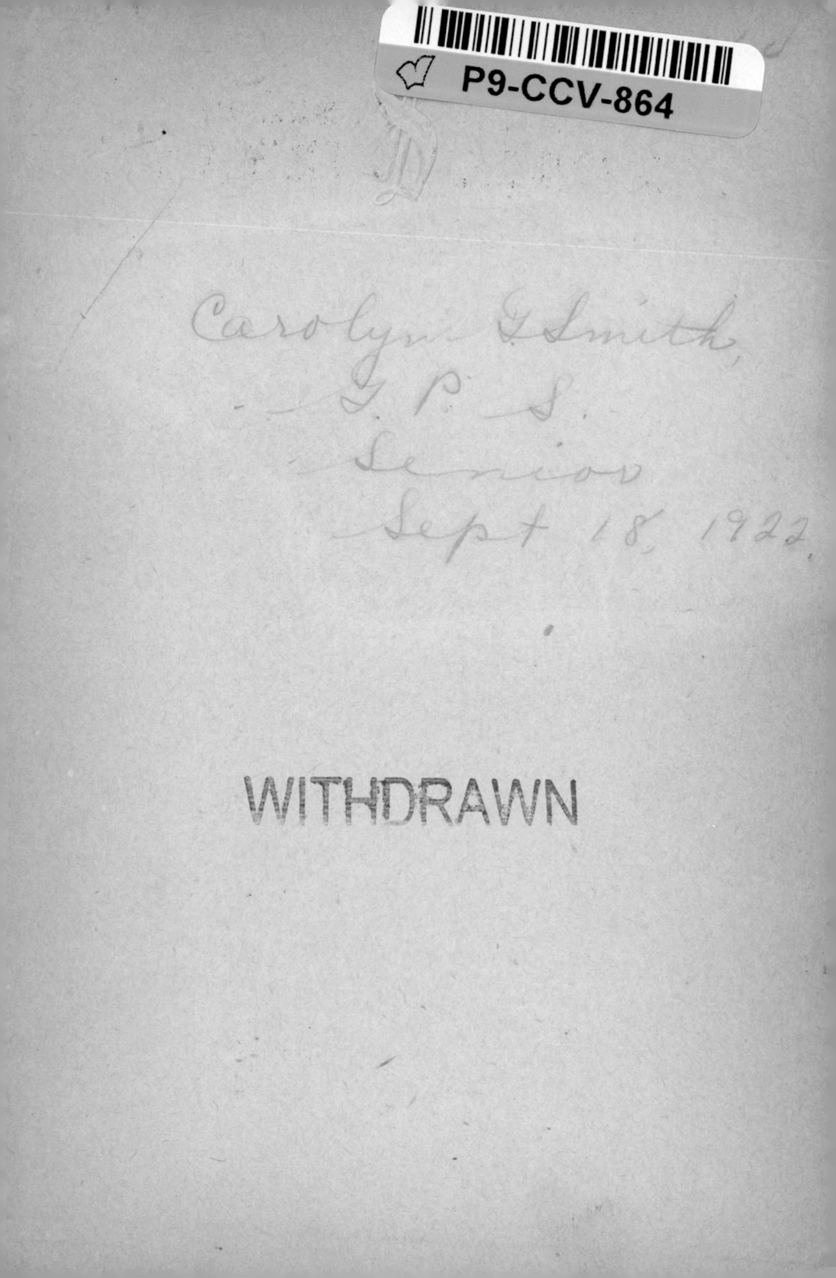

Carolyn G. Smith,
G. P. S.
Senior
Sept 18, 1922

ÉDOUARD PAILLERON

From a photograph

LE MONDE OÙ L'ON S'ENNUIE

COMÉDIE EN TROIS ACTES

PAR

ÉDOUARD PAILLERON

DE L'ACADÉMIE FRANÇAISE

EDITED WITH INTRODUCTION, NOTES, VOCABULARY
FRENCH QUESTIONS AND ENGLISH EXERCISES

BY

WILLIAM RALEIGH PRICE, PH.D.
STATE INSPECTOR IN MODERN LANGUAGES
ALBANY, N.Y

GINN AND COMPANY
BOSTON · NEW YORK · CHICAGO · LONDON
ATLANTA · DALLAS · COLUMBUS · SAN FRANCISCO

The Athenæum Press
GINN AND COMPANY · PRO-
PRIETORS · BOSTON · U.S.A.

To

MR. EDWARD G. MINER, JR.

Gratefully Inscribed

PREFACE

In preparing this edition of "Le Monde où l'on s'ennuie" the editor hopes that he is helping to fill a lacuna. There are not many good French comedies suitably edited for elementary work in schools and college; and yet no kind of literature is so necessary in elementary modern-language instruction as the comedy, because it comes the nearest of all kinds of reading matter to creating in the class room a *milieu* that is distinctively French (or German, as the case may be). The teacher should take advantage of this fact by lessening the time usually given to formal translation in the class, and substituting for it the reading of the French by members of the class to whom rôles have been assigned, or the free oral reproduction of the text. It will be found that the connection, the continuity of the dialogue and the action, will usually suggest the meaning of all those "little words" for the elucidation of which some editors write so many notes.

In this edition all proper names, with sufficient data to explain their use, and such idiomatic expressions as are likely to cause the beginner difficulty, have been placed in the vocabulary. Only where sufficient information for the understanding and full appreciation of the text could not be given in the vocabulary has a note been considered necessary.

The exercises and questions are meant merely to be suggestive to both teacher and pupils. The editor recommends that they be left untouched until the entire text has been read, that the pupils may have a sufficiently large vocabulary of words and phrases at their command. It is not supposed that teachers will adhere slavishly to the set questions; that might defeat their purpose. A skillful use of them will, however, materially aid pupils in the free reproduction of the text.

The text of this edition is, with few omissions which need no apology in a book intended for mixed classes, and some trivial changes in orthography and punctuation, conformable to that of the *quatre-vingt-quatrième édition* (Calmann-Lévy, Paris). The editor is indebted to the French publishers for their authorization to edit and publish "Le Monde où l'on s'ennuie" for the use of schools and colleges in the United States. To Professor E. W. Olmsted and to Professor O. G. Guerlac of Cornell University, and to Professor P. S. Allen of the University of Chicago, he makes grateful acknowledgment of valuable aid in the preparation of this edition.

W. R. P.

CONTENTS

INTRODUCTION

Édouard Jules Henri Pailleron, poet and dramatist, was born in Paris, September 17, 1834, and died there April 20, 1899.

Beyond his literary successes, which were uninterrupted, his life was not eventful. As applicable to him as to Émile Augier (of whom he wrote a biographical sketch in 1899, just prior to his death) is the reported answer of that dramatist to a seeker after personal reminiscences, "that nothing had happened to him since his birth." He chose law as a profession, and served an apprenticeship as a poorly paid clerk in a Parisian notary's office. After fulfilling the requirements for admission to the bar, he practiced law for a time, but soon gave it up to enter a cavalry regiment, in which he served two years. From this he bought relief in the form of a substitute, and set out on a tour of France, Italy, and Algiers, returning then to Paris to devote himself entirely to literature. He married the daughter of M. Buloz, founder and editor of the *Revue des deux mondes*, and many of his poems, among which may be mentioned "Le Départ" (1870), "Prière pour la France" (1871), and the collection entitled "Amours et Haines" (1888), appeared in that publication. He was elected to the French Academy in 1884, succeeding M. Charles Blanc.

M. Pailleron is principally known as a writer of short, witty, satirical comedies in prose and verse. He is the last of a generation of talented dramatists, — Augier, Dumas, Meilhac, Pailleron; and he has the distinction of being the author of the most successful comedy of them all, — "Le Monde où l'on s'ennuie."

In this play Pailleron has wittily satirized a phase of French political, social, and intellectual life, the *salon*, that is of perennial interest to the public at home and abroad, as well as to the student of French life and literature. It has been called a modernized form of "Les Femmes savantes," adapted to the changes that the centuries had brought since its immortal prototype. It is not surprising, therefore, that it has retained its great popularity in the French capital, and has become a favorite in the capitals of other European countries.[1]

The following is a list of M. Pailleron's comedies:[2] —

1860 Le Parasite, comédie en un acte, en vers;
1861 Le Mur mitoyen, comédie en deux actes, en vers;
1863 Le Dernier Quartier, comédie en deux actes, en vers;
1865 Le Second Mouvement, comédie en trois actes, en vers;
1868 Le Monde où l'on s'amuse,[3] comédie en un acte;
1869 Les Faux Ménages, comédie en quatre actes, en vers;
1871[4] L'Autre Motif, comédie en un acte;
1875 Petite Pluie . . . , comédie en un acte;
1878 L'Age ingrat, comédie en trois actes;
1879 L'Étincelle,[5] comédie en un acte;

---

[1] It is in the repertory of the *Comédie-Française* and has been given regularly for the last twenty-five years. It was produced in Vienna for the first time November 26, 1881, at the *Stadttheater*, and since then has been in the repertory of the *Hofburgtheater*. It is frequently given in Berlin.

[2] Two one-act comedies, — "Mieux vaut douceur," and "Et violence,"— although they are Pailleron's latest, and should be his best, efforts, are now rarely mentioned, especially the latter.

[3] This comedy, written in a vein of gay satire, appealed to the taste of the Parisian public, and its success undoubtedly led to the composition of its brilliant counterpart, "Le Monde où l'on s'ennuie."

[4] It was in this year, also, that "Hélène, tragédie bourgeoise," was composed. It was not a success, at least the second act. The author rewrote the piece.

[5] "L'Étincelle" is one of Pailleron's most charming comedies. Francisque Sarcey said in his feuilleton of April 24, 1899, in *Le Temps*: —

"Il aurait pu leur répondre (à ses critiques) comme Épaminondas: 'Je laisse deux filles immortelles.' Ces deux filles, ce sont 'l'Étincelle' et 'le Monde où l'on s'ennuie.'"

1881 Le Monde où l'on s'ennuie,[1] comédie en trois actes; Le Théâtre chez madame; [2]
1887 La Souris, comédie en trois actes;
1894 Cabotins, comédie en trois actes.

It is unnecessary here to characterize in detail these varied contributions of M. Pailleron to the dramatic literature of his country. Most of his plays still hold the stage in Paris and elsewhere in France. For us, however, the importance of M. Pailleron's work is almost wholly restricted to two comedies, for which immortality has been predicted, "L'Étincelle" and "Le Monde où l'on s'ennuie." By a play of words on the title of the former comedy, "Le Monde où l'on s'ennuie" has been aptly called *le coup de foudre*. It marks a date in the history of French comedy.[3] The types are so true, so fresh and refreshing, the satire is so deservedly stinging yet seemingly unconscious, withal so sparkling in wit; the old *douairière*, with sentimental vagaries, but with lots of good sense, the pedantic Bellac, *le bel objet des dames*, exploiting Platonic love *pour jouir de la vie et éviter le mariage*, the aristocratic Roger *en bois*, with political aspirations and scientific pretensions, the rich but *maigre* Englishwoman who translates Schopenhauer, the baldheaded poet, type of the *raté* with *one* pretty verse in a five-act tragedy, and all the other intriguers in love and politics in this cosmopolitan salon, are figures of real humor and will live as long as comedy lives. And—strange to say of such a biting satirist—especially in his young girl characters,

---

[1] It is to be noted that it was shortly after the production of this play that Pailleron was elected to the French Academy.

[2] This collection contains three of his earlier comedies, each of one act; they are entitled "Le Chevalier Trumeau," "Le Narcotique," and "Pendant le bal." They were probably brought out anew at this time on account of the great interest in the author which the publication and production of his masterpiece aroused.

[3] The London *Athenæum* (January 27, 1906) refers to it as "on the whole the most brilliant comedy of modern days."

of which Suzanne is the best, has our author been most successful. No description can do justice to Suzanne. She is sensible and sentimental, tender, sensitive, clear seeing, womanly, and still a *gamine*, light, airy, vivacious, but with a birthright of love and passion. No shaft of satire is directed at her, she has all the author's sympathy; for here, as everywhere with Pailleron, one guesses a personal acquaintance. Is it not the pretentious pedantry of some, and the *cabotinage* of others, of Pailleron's personal acquaintances that we readily divine in the type disguise he has given his characters? And how otherwise could this biting satirist of preciosity have depicted so sympathetically an Antoinette, a Marthe, and above all, a Suzanne? It is in this personal quality of his realism, aided by rare knowledge of dramatic technique, that we find the explanation of Pailleron's success.

As has been said, this success was uninterrupted. His very first work was favorably received. He did not know that long waiting for recognition which we find characteristic of most authors. His reputation rose with every production, until "Le Monde où l'on s'ennuie" made him immortal and gave him, which has not always happened, a seat among the Immortals.

LE MONDE
OÙ L'ON S'ENNUIE

PERSONNAGES

BELLAC	*MM.*	*Got*
ROGER DE CÉRAN		*Delaunay*
PAUL RAYMOND		*Coquelin*
TOULONNIER		*Garraud*
LE GÉNÉRAL DE BRIAIS		*Martel*
VIROT		*Joliet*
FRANÇOIS		*Roger*
DE SAINT-RÉAULT		*Richard*
GAIAC		*Davrigny*
MELCHIOR DE BOINES		*Paul René*
DES MILLETS		*Leloir*
LA DUCHESSE DE RÉVILLE	*Mmes.*	*M. Brohan*
MADAME DE LOUDAN		*E. Riquier*
JEANNE RAYMOND		*Reichemberg*
LUCY WATSON		*E. Broisat*
SUZANNE DE VILLIERS		*J. Samary*
LA COMTESSE DE CÉRAN		*Lloyd*
MADAME ARRIÉGO		*Martin*
MADAME DE BOINES		*Fayolle*
MADAME DE SAINT-RÉAULT		*Amel*

Au château de madame de Céran, à Saint-Germain

1881

LE MONDE OÙ L'ON S'ENNUIE

ACTE PREMIER

Un salon carré avec porte au fond, ouvrant sur un autre grand salon. Portes aux premier et troisième plans. A gauche, entre les deux portes, un piano. Porte à droite au premier plan ; du même côté, plus haut une grande baie avec vestibule vitré donnant sur le jardin; à gauche une table avec siège de chaque côté ; à droite, petite table et canapé, fauteuils, chaises, etc.

SCÈNE PREMIÈRE

FRANÇOIS, *seul, puis* LUCY

FRANÇOIS, *cherchant au milieu des papiers qui encombrent la table.* Ça ne peut pas être là-dessus non plus; ni là-dedans : *Revue matérialiste . . . Revue des cours . . . Journal des savants*[1] . . . (*Entre* LUCY.)

LUCY. Eh bien, François, avez-vous trouvé cette lettre ? 10

FRANÇOIS. Non, miss Lucy, pas encore.

---

[1] This list (concluded on page 4) of formidable titles is not to be taken seriously. The *Journal des savants* gives an air of *vraisemblance* to the others, which, even though they existed in Pailleron's time, were probably unknown to him. (With the exception of the *Revue matérialiste*, there are published to-day in Paris periodicals with these titles.) The *Revue des cours* may be a reference to the former title of the *Revue bleue*, certainly not to the present *Revue des cours et conférences*. The titles serve to foreshadow the coming characterizations of the personnel of *Le Monde où l'on s'ennuie*.

LUCY. Ouverte, sans enveloppe, un papier rose?

FRANÇOIS. Est-ce que le nom de miss Watson est dessus?

LUCY. Vous ai-je dit qu'elle était à moi?

FRANÇOIS. Mais . . .

5 LUCY. Enfin vous n'avez rien trouvé?

FRANÇOIS. Pas encore, mais je chercherai, je demanderai . . .

LUCY. Non, ne demandez pas, c'est inutile! Seulement, comme je tiens à l'avoir, cherchez toujours. De l'endroit où 10 vous nous avez remis les lettres ce matin jusqu'à ce salon. Elle ne peut pas être tombée autre part . . . Cherchez! . . . Cherchez!

SCÈNE II

FRANÇOIS, *puis* JEANNE *et* PAUL RAYMOND

FRANÇOIS, *seul, revenant à la table.* Cherchez! Cherchez! . . . *Revue coloniale! Revue diplomatique! Revue archéo-* 15 *logique* . . .

JEANNE, *entrant et gaiement.* Ah! voilà quelqu'un! (*A François.*) Madame de Céran . . .

PAUL, *lui prenant la main et bas.* Chut! . . . (*A François, gravement.*) Madame la comtesse de Céran est-elle en ce 20 moment au château?

FRANÇOIS. Oui, Monsieur!

JEANNE, *gaiement.* Eh bien, allez lui dire que M. et madame Paul . . .

PAUL, *même jeu, froidement.* Veuillez la prévenir que M. 25 Raymond, sous-préfet d'Agenis,[1] et madame Raymond arrivent de Paris et l'attendent au salon.

---

[1] **sous-préfet d'Agenis**: France is divided into eighty-seven *départements*, which are subdivided into *arrondissements*. The administrative head of the *département* is the *préfet*, of the *arrondissement* the *sous-préfet*. The *arrondissement d'Agenis* does not exist.

JEANNE. Et que . . .

PAUL, *de même.* Chut ! (*A François.*) Allez, mon ami . . .

FRANÇOIS. Oui, monsieur le sous-préfet. (*A part.*) C'est les nouveaux mariés . . . (*Haut.*) Monsieur le sous-préfet veut-il[1] se débarrasser ? . . . (*Il prend les sacs et couvertures des arrivants et sort.*) 5

JEANNE. Ah çà ! mais, Paul . . .

PAUL. Pas de Paul, ici : M. Raymond.

JEANNE. Comment ? tu veux ? . . .

PAUL. Pas de *tu*, ici : *vous*, je t'ai dit. 10

JEANNE. (*Elle rit.*) Ah ! cette figure . . .

PAUL. Pas de rire ici, je vous en prie.

JEANNE. Eh bien, Monsieur, vous me grondez ? (*Elle se jette à son cou ; il se dégage avec effroi.*)

PAUL. Malheureuse ! il ne manquerait plus que cela ! 15

JEANNE. Ah ! tu m'ennuies . . .

PAUL. Précisément ! cette fois, tu tiens la note ! Ah çà ! tu as donc oublié tout ce que je t'ai dit en chemin de fer ?

JEANNE. Je croyais que tu plaisantais, moi.

PAUL. Plaisanter ! ici ? Voyons, veux-tu être préfète, oui ou non ? 20

JEANNE. Oui, si ça te fait plaisir.

PAUL. Eh bien ! observe-toi, je t'en prie, observe-toi. Je te dis encore *toi* parce que nous sommes seuls, mais tout à l'heure, devant le monde, ce sera : *vous*, tout le temps : *vous !* La comtesse de Céran m'a fait l'honneur de m'inviter à lui présenter ma jeune femme et à passer quelques jours à son château de Saint-Germain. Or, le salon de madame de Céran[2] est un des trois ou quatre salons les plus influents de 25

---

[1] **Monsieur le sous-préfet veut-il :** note the deferential use of the third person.

[2] **Or, le salon . . . :** the pre-revolutionary salons, ever since the establishment of the first one, in 1608, by the famous Marquise de Rambouillet and her daughter Julia, exercised a determinative, if not a formative, influ-

Paris. Nous ne sommes pas ici pour nous amuser. Nous y entrons sous-préfet, il faut en sortir préfet. Tout dépend d'elle, de nous, de toi !

JEANNE. De moi? . . . Comment, de moi?

5 PAUL. Certainement. Le monde juge de l'homme par la femme. Et il a raison. Et c'est pourquoi sois sur tes gardes ! De la gravité sans hauteur, un sourire plein de pensées ; regarde bien, écoute beaucoup, parle peu ! Oh ! des compliments, par exemple, tant que tu voudras, et des 10 citations aussi, cela fait bien, mais courtes, alors, et profondes : en philosophie, Hegel ; en littérature, Jean-Paul ; en politique . . .

JEANNE. Mais je ne parle pas politique.

PAUL. Ici, toutes les femmes parle politique.

15 JEANNE. Je n'y entends goutte.

PAUL. Elles non plus, cela ne fait rien, va toujours ! Cite Pufendorf et Machiavel, comme si c'étaient des parents à toi, et le Concile de Trente, comme si tu l'avais présidé. Quant à tes distractions : la musique de chambre, un tour de jardin et 20 le whist, voilà tout ce que je te permets. Avec cela, des robes montantes et les quelques mots de latin que je t'ai soufflés, et je veux qu'avant huit jours on dise de toi : « Eh ! eh ! cette petite madame Raymond, ce serait une femme de Ministre.» Et dans ce monde-ci, vois-tu, quand on dit d'une femme, c'est 25 une femme de Ministre, le mari est bien près de l'être.

JEANNE. Comment, tu veux être Ministre ?

PAUL. Dame ! pour ne pas me faire remarquer.[1]

---

ence on the social and literary life of the Capital. This influence was practically destroyed by the Revolution, and was only partially reëstablished during the Restoration (1814–1830). Under the democratic-republican form of government the influence of the salons was directed more to political intrigue than to literature and social forms; but the essential characteristics of the salon have always been "le puritanisme des doctrines et la pédanterie du langage."

[1] **Dame ! pour ne pas me faire remarquer** : the reference is to the

JEANNE. Mais puisque madame de Céran est de l'opposition, quelle place peux-tu en attendre ?

PAUL. Candeur, va ! En ce qui concerne les places, mon enfant, il n'y a entre les conservateurs et les opposants qu'une nuance : c'est que les conservateurs les demandent et que les 5 opposants les acceptent. Non, non, va ! c'est bien ici que se font, défont et surfont les réputations, les situations et les élections, où, sous couleur de littérature et beaux-arts, les malins font leur affaire : c'est ici la petite porte des ministères, l'antichambre des académies,[1] le laboratoire du succès ! 10

JEANNE. Miséricorde ! Qu'est-ce que ce monde-là ?

PAUL. Ce monde-là, mon enfant, c'est un hôtel de Rambouillet en 1881 : un monde où l'on cause et où l'on pose, où le pédantisme tient lieu de science, la sentimentalité de sentiment et la préciosité de délicatesse ; où l'on ne dit jamais ce 15 que l'on pense, et où l'on ne pense jamais ce que l'on dit ; où l'assiduité est une politique, l'amitié un calcul, et la galanterie même un moyen ; le monde où l'on avale sa canne dans l'antichambre et sa langue dans le salon,[2] le monde sérieux, enfin !

JEANNE. Mais c'est le monde où l'on s'ennuie, cela. 20

PAUL. Précisément !

JEANNE. Mais, si l'on s'y ennuie, quelle influence peut-il avoir ?

---

frequent fall of the ministry in France since 1871. Gambetta's so-called Grand Ministry of 1880, shortly before the action of this play, endured but two months. See note 1, p. 49.

[1] **des académies**: there are five academies: *Académie française*, *Académie des inscriptions et belles-lettres*, *Académie des sciences*, *Académie des beaux-arts*, *Académie des sciences morales et politiques*. By the Academy is usually meant the *Académie française*, composed of the forty Immortals. The five academies together form the Institute.

[2] **le monde . . . salon**: the meaning is, society in which you become as stiff as a poker (lit., *where you swallow your cane*) in the antechamber, and most circumspect in speech (lit., *where you swallow your tongue*, i.e. *refrain from using it freely and naturally*) in the parlor.

PAUL. Quelle influence ! . . . candeur ! candeur ! quelle influence, l'ennui, chez nous ? mais énorme ! . . . mais considérable ! Le Français, vois-tu, a pour l'ennui une horreur poussée jusqu'à la vénération. Pour lui, l'ennui est un dieu terrible qui a pour
5 culte la tenue. Il ne comprend le sérieux que sous cette forme. Je ne dis pas qu'il pratique, par exemple, mais il n'en croit que plus fermement, aimant mieux croire . . . que d'y aller voir. Oui, ce peuple gai, au fond, se méprise de l'être ; il a perdu sa foi dans le bon sens de son vieux rire ; ce peuple sceptique
10 et bavard croit aux[1] silencieux, ce peuple expansif et aimable s'en laisse imposer par la morgue pédante et la nullité prétentieuse des pontifes de la cravate blanche :[2] en politique, comme en science, comme en art, comme en littérature, comme en tout ! Il les raille, il les hait, il les fuit comme peste,
15 mais ils ont seuls son admiration secrète et sa confiance absolue ! Quelle influence, l'ennui ? Ah ! ma chère enfant ! mais c'est-à-dire qu'il n'y a que deux sortes de gens au monde : ceux qui ne savent pas s'ennuyer et qui ne sont rien, et ceux qui savent s'ennuyer et qui sont tout . . . après ceux
20 qui savent ennuyer les autres !

JEANNE. Et voilà où tu m'amènes, misérable !

---

[1] **croit aux silencieux** : Littré gives *croire en=être persuadé de l'existence de*. This is almost exclusively used with God (without adjectival modifier) and with personal pronouns. *Croire en*, 'to have confidence in,' is used with persons and personal pronouns. For *croire en*, *croire à* is used for things, plural substantives, and singular substantives with adjectival modifiers. Compare the French Protestant liturgy : "Je crois en Dieu, à la Sainte-Église universelle," etc. Also the famous verse in Daudet's Jack (page 69) : "Moi, je crois à l'amour comme je crois en Dieu" and Madame de Barancy's version of it (page 114), which the poet savagely corrects : "Moi, je crois à l'amour comme je crois au bon Dieu."

[2] **pontifes de la cravate blanche** : 'high priests of the white necktie.' *Pontifes* is used to indicate certain solemn and pretentious professors, devotees of the "*culte de tenue*" who *pontifient* (coll.), that is to say, speak in a pompous and hollow way. The *cravate blanche* refers to the evening dress, which is *de rigueur* on formal occasions. See note 2, page 7.

PAUL. Veux-tu être préfète, oui ou non ?

JEANNE. Oh ! d'abord, je ne pourrai jamais . . .

PAUL. Laisse donc ! ce n'est que huit jours à passer.

JEANNE. Huit jours ! sans parler, sans rire, sans t'embrasser.

PAUL. Devant le monde, mais quand nous serons seuls . . . 5
et puis dans les coins . . . tais-toi donc ! . . . ce sera charmant, au contraire : je te donnerai des rendez-vous . . . au jardin . . . partout . . . comme avant notre mariage . . . chez ton père, tu sais ?

JEANNE. Ah ! c'est égal ! c'est égal ! . . . (*Elle ouvre le piano* 10 *et joue un air de la Fille de madame Angot.*)

PAUL, *effrayé.* Eh bien ! eh bien ! qu'est-ce que tu fais là ?

JEANNE. C'est dans l'opérette d'hier.

PAUL. Jeanne . . . Mais Jeanne ! . . . si on venait . . . veux-tu bien ? . . . (*François paraît au fond.*) Trop tard ! (*Jeanne* 15 *change son air d'opérette en symphonie de Beethoven ; à part.*) Beethoven ! Bravo ! (*Il suit la mesure d'un air profond.*) Ah ! il n'y a décidément de musique qu'au Conservatoire.

SCÈNE III

JEANNE, PAUL, FRANÇOIS

FRANÇOIS. Madame la comtesse prie monsieur le sous-préfet de l'attendre cinq minutes, elle est en conférence avec monsieur 20 le baron Ériel de Saint-Réault.

PAUL. L'orientaliste ?

FRANÇOIS. Je ne sais pas, Monsieur ; c'est le savant dont le père avait tant de talent . . .

PAUL, *à part.* Et qui a tant de places. C'est bien cela. 25 (*Haut.*) Ah ! monsieur de Saint-Réault est au château et madame de Saint-Réault aussi, sans doute ?

FRANÇOIS. Oui, monsieur le sous-préfet, ainsi que la marquise de Loudan et madame Arriégo ; mais ces dames sont en ce moment à Paris, au cours de monsieur Bellac, avec mademoiselle Suzanne de Villiers.

PAUL. Et il n'y a pas d'autres personnes en résidence ici?

FRANÇOIS. Il y a madame la duchesse de Réville, la tante de
5 madame.

PAUL. Oh ! je ne parle ni de la duchesse, ni de miss Watson, ni de mademoiselle de Villiers qui sont de la maison, mais des étrangers comme nous.

FRANÇOIS. Non, monsieur le sous-préfet, c'est tout.

10 PAUL. Et on n'attend personne?

FRANÇOIS. Personne? . . . si, monsieur le sous-préfet : monsieur Roger, le fils de madame la comtesse, arrive aujourd'hui même de sa mission scientifique en Orient ; on l'attend d'un moment à l'autre . . . Ah ! et puis monsieur Bellac, le profes-
15 seur, qui, après son cours, va venir s'installer ici pour quelque temps ; du moins on l'espère.

PAUL, *à part.* C'est donc pour cela qu'il y a tant de dames. (*Haut.*) C'est bien, merci.

FRANÇOIS. Alors, monsieur le sous-préfet veut bien attendre?

20 PAUL. Oui, et dites à madame la comtesse de ne pas se presser.

SCÈNE IV

PAUL, JEANNE

PAUL. Ouf ! quelle peur tu m'as faite avec ta musique ! . . . mais tu t'en es bien tirée. Bravo ! changer Lecocq en Beethoven, ça c'est très fort !

25 JEANNE. Je suis si bête, n'est-ce pas?

PAUL. Oh ! que je sais bien que non ! Ah çà ! puisque nous avons encore cinq minutes, un mot sur les gens d'ici ; c'est prudent !

JEANNE. Ah ! bien, non !

PAUL. Voyons, Jeanne, cinq minutes! ces renseignements sont indispensables.

JEANNE. Alors, après chaque renseignement, tu m'embrasseras.

PAUL. Eh bien, oui, voyons! quelle enfant! Ah! ça ne sera 5
pas long, va! ... la mère, le fils, l'ami et les invités,—ni hommes, ni femmes, tous gens sérieux.

JEANNE. Eh bien, cela va être gai.

PAUL. Rassure-toi! il y en a deux qui ne le[1] sont pas, sérieux, je te les ai gardés pour la fin. 10

JEANNE. Attends, paie-moi d'abord! (*Elle compte sur ses doigts.*) Madame de Céran, une; son fils Roger, deux; miss Lucy, trois; deux Saint-Réault; un Bellac; une Loudan et une Arriégo, cela fait huit. (*Elle tend la joue.*)

PAUL. Huit quoi? 15

JEANNE. Huit renseignements, donc; allons paie ... (*Elle tend la joue.*)

PAUL. Quelle enfant! ... tiens! tiens! tiens! (*Il l'embrasse coup sur coup.*)

JEANNE. Ah! pas si vite; détaille! détaille! 20

PAUL, *après l'avoir embrassée plus lentement.* Là! es-tu contente?

JEANNE. Je peux attendre. Voyons les deux pas sérieux, maintenant.

PAUL. D'abord la duchesse de Réville, la tante à succession, 25
une jolie vieille qui a été une jolie femme ...

JEANNE, *d'un air interrogateur.* Hein?

PAUL. On le dit. Un peu hurluberlu et forte en ... propos,[2] mais excellente, avec du bon sens, tu verras ... Et enfin, pour

---

[1] **ne le sont pas, sérieux**: this is a very common pleonasm, and attention is called to it once for all. See also p. 19, ls. 16–17; p. 64, l. 27; p. 85, ls. 12–13, and elsewhere.

[2] **propos**: Paul starts to say "*forte en gueule*" (popular and low), but substitutes for it the finer expression "forte en propos."

le bouquet, Suzanne de Villiers. Oh ! celle-là pas sérieuse du tout, par exemple ; pas assez.

JEANNE. Enfin !

PAUL. Une gamine de dix-huit ans, étourdie, bavarde, 5 emballée, avec des audaces de tenue et de langage . . . oh ! mais . . . et dont l'histoire est tout un roman.

JEANNE. A la bonne heure ! nanan, cela ! Voyons !

PAUL. C'est la fille de ce fou de Georges de Villiers, un autre neveu de la duchesse qu'elle adorait. La mère est morte, le 10 père est mort. La petite est restée seule à douze ans avec un héritage de viveur et une éducation toute pareille. Georges lui apprenait le javanais. La duchesse, qui en est folle, l'a amenée chez madame de Céran qui la déteste, et elle lui a fait donner Roger pour tuteur. On a bien essayé de la mettre 15 au couvent, mais elle s'en est sauvée deux fois ; on l'en a renvoyée une troisième, et la voilà ici ! Juge de l'effet dans la maison ! Un feu d'artifice dans la lune.—Ah ! j'ai bien fini, j'espère ; c'est gentil, ça ?

JEANNE. Si gentil que je te fais grâce des deux baisers que 20 tu me dois . . .

PAUL, *désappointé*. Ah !

JEANNE. Et que c'est moi qui te les donne. (*Elle l'embrasse.*)

PAUL. Folle ! (*La porte du fond s'ouvre.*) Oh ! Saint-Réault et Madame de Céran. Souffle-moi dans l'œil ! . . . 25 Non ! . . . elle ne nous a pas vus ! Tiens toi ! hum ! tenez-vous ! . . .

SCÈNE V

PAUL, JEANNE, MADAME DE CÉRAN *et* SAINT-RÉAULT, *sur la porte, causant sans les voir*

MADAME DE CÉRAN. Mais non, mon ami ! pas au premier tour ![1] comprenez donc ! 15–8–15, au premier tour . . . Il y a

[1] tour: the full expression is *tour de scrutin*, 'ballot.' *Ballottage*

ballottage au premier tour, par conséquent second tour ; c'est pourtant simple.

SAINT-RÉAULT. Simple ! simple ! Au second tour, puisque je n'ai que quatre voix de second tour, avec nos neuf voix du premier tour, cela ne nous fait que treize au second tour.

MADAME DE CÉRAN. Et nos sept de premier tour, cela fait vingt au second tour ; comprenez donc !

SAINT-RÉAULT, *éclairé.* Ah !

PAUL, *à Jeanne.* C'est si simple.

MADAME DE CÉRAN. Mais ! . . . je vous le répète, soignez Dalibert et ses libéraux. L'Académie est libérale dans ce moment-ci . . . (*Insistant.*) dans ce moment-ci. (*Ils descendent en scène en causant.*)

SAINT-RÉAULT. Revel n'est-il pas aussi directeur de la Jeune École ?

MADAME DE CÉRAN, *le regardant.* Ah çà ! Revel n'est pas mort, que je sache ? . . .

SAINT-RÉAULT. Mais non.

MADAME DE CÉRAN, *de même.* Ni malade ? hein ?

---

refers to the situation where no candidate has a majority over all, and a second ballot (*deuxième tour de scrutin* or *scrutin de ballottage*) is necessary.

In French elections, whether political or otherwise, there are two sorts of majorities : —

1. **Majorité absolue**, majority over all; more than half the whole number of votes cast. In the Academy, if the whole number of votes cast is thirty-eight, as is the case here, twenty are necessary to a choice. As there are three candidates (with fifteen, eight, and fifteen votes respectively), no one has the *majorité absolue*, and there is *ballottage*.

2. **Majorité relative**, which is simply a plurality. At the second ballot (*deuxième tour*) the *majorité relative* is sufficient in political elections, but in the elections to the Academy the *majorité absolue* is required. Therefore there are often as many as four or five ballots, until, by the shifting of votes, some one gets the required majority over all.

The following numbers (*quatre*, *neuf*, *sept*) have no relation to the first set (15–8–15), since each one is guessing at random on the probable shifting of votes.

SAINT-RÉAULT, *un peu embarrassé.* Oh ! malade . . . il l'est toujours.

MADAME DE CÉRAN. Eh bien, alors?

SAINT-RÉAULT. Enfin il faut être prêt, qui sait? . . . Je vais
5 m'en occuper.

MADAME DE CÉRAN, *à part.* Il y a quelque chose. (*Apercevant Raymond et allant à lui.*) Ah ! mon cher monsieur Raymond, je vous oubliais, pardonnez-moi.

PAUL. Oh ! Comtesse . . . (*Lui présentant Jeanne.*) Madame
10 Paul Raymond.

MADAME DE CÉRAN. Soyez la bienvenue dans ma maison, Madame. Vous êtes ici chez une amie. (*Les présentant à Saint-Réault et le leur présentant.*) M. Paul Raymond, sous-préfet d'Agenis; madame Paul Raymond; monsieur le baron
15 Ériel de Saint-Réault.

PAUL. Je suis d'autant plus heureux de vous être présenté, monsieur le baron, que, bien jeune, j'ai eu l'honneur de connaître votre illustre père. (*A part.*) Il m'a collé à mon baccalauréat.

20 SAINT-RÉAULT, *saluant.* Fort heureux, monsieur le préfet, de cette coïncidence.

PAUL. Moins que moi, monsieur le baron; en tous cas, moins fier. (*Saint-Réault va à la table et écrit.*)

MADAME DE CÉRAN, *à Jeanne.* Vous trouverez ma maison
25 peut-être un peu austère pour votre jeunesse, Madame; ne vous en prenez qu'à votre mari si votre séjour ici comporte quelque monotonie, et dites-vous pour vous consoler que se résigner c'est obéir, et qu'en venant vous n'étiez pas libre.

30 JEANNE, *gravement.* En quoi donc, madame la comtesse? Être libre, ce n'est pas faire ce que l'on veut, mais ce que l'on juge meilleur . . . a dit le philosophe Joubert.

MADAME DE CÉRAN, *après avoir regardé Paul, approbativement.* Voilà un mot qui me rassure, mon enfant. Du reste, pour purement intellectuel que soit[1] le mouvement de mon salon, il n'est pas sans attrait pour les esprits élevés. Et tenez, aujourd'hui, précisément, la soirée sera particulièrement intéressante. M. de Saint-Réault veut bien nous lire un extrait de son travail inédit sur Rama-Ravana et les légendes sanscrites. 5

PAUL. Vraiment ! Oh ! Jeanne ! . . .

JEANNE. Quel bonheur !

MADAME DE CÉRAN. Après quoi, je crois pouvoir vous promettre quelque chose de M. Bellac.

JEANNE. Le professeur ? 10

MADAME DE CÉRAN. Vous le connaissez ?

JEANNE. Quelle dame ne le connaît pas ? Oh ! mais cela va être charmant.

MADAME DE CÉRAN. Une causerie intime, *ad usum mundi*[2] quelques mots seulement, mais du fruit rare, et enfin, pour 15 terminer, la lecture d'une pièce inédite.

PAUL. Oh ! en vers peut-être ?

MADAME DE CÉRAN. Oui, le premier ouvrage d'un jeune poète inconnu qu'on me présente ce soir et dont l'œuvre vient d'être admise au Théâtre-Français. 20

PAUL. Voilà de ces bonnes fortunes que les délicats ne rencontrent que chez vous, Comtesse.

MADAME DE CÉRAN. Toute cette littérature ne vous effraie pas un peu, Madame ? . . . Car enfin une soirée comme celle-là, c'est autant de perdu pour votre beauté. 25

JEANNE, *gravement*. Ce que le vulgaire appelle temps perdu est bien souvent du temps gagné, comme a dit M. de Tocqueville !

---

[1] **pour purement intellectuel que soit** : *pour* is often used before adverbial modifiers of adjectives in the sense of 'however,' introducing an emphatic concessive relation, as here.

[2] **ad usum mundi** : a Latin phrase equivalent to 'popularized,' 'popular,' 'non-technical.' (Compare p. 56, ls. 6–7, where she calls his discourse *prolixe et obscur*.) It recalls at once to a French audience *ad usum Delphini* ('à l'usage du Dauphin'), used to designate expurgated texts.

MADAME DE CÉRAN, *la regardant étonnée, bas à Paul.* Elle est charmante ! (*Saint-Réault se lève et va vers la porte.*) Et bien, Saint-Réault, où allez-vous donc ?

SAINT-RÉAULT, *sortant.* Au chemin de fer ; excusez-moi.
5 Un télégramme . . . Je reviens dans dix minutes. (*Il sort.*)

MADAME DE CÉRAN. Décidément, il y a quelque chose. . . . (*Elle cherche sur la table.*) (*A Jeanne et à Paul.*) Pardon ! (*Elle sonne, François paraît.*) Les journaux ?

FRANÇOIS. M. de Saint-Réault les a pris ce matin, madame
10 la comtesse. Ils sont dans sa chambre.

PAUL, *tirant le Journal amusant de sa poche.* Si vous voulez, Comtesse ! . . . (*Jeanne l'arrête brusquement, tire le Journal des Débats de la sienne et le remet à madame de Céran.*)

JEANNE. Il est d'aujourd'hui.

15 MADAME DE CÉRAN. Volontiers . . . Je suis curieuse . . . Encore pardon. (*Elle ouvre le journal et lit.*)

PAUL, *bas à sa femme.* Bravo ! très bien ! continue ! Exquis le Joubert ! et le Tocqueville ! . . . Ah ! ça . . .

JEANNE, *bas.* Ce n'est pas de Tocqueville,[1] c'est de moi.

20 PAUL. Oh !

MADAME DE CÉRAN, *lisant.* Revel très malade . . . Allons donc ! j'étais bien sûre ! . . . Il ne perd pas de temps, Saint-Réault. (*Rendant le journal à Paul.*) Je sais ce que je voulais savoir, merci ! Je ne veux pas vous retenir, on va vous
25 indiquer vos chambres. Nous dînons à six heures très précises ; la duchesse est fort exacte, vous le savez. A quatre heures, le consommé ; à cinq, la promenade ; à six, le dîner. (*Quatre heures sonnent.*) Et tenez, quatre heures, la voici.

---

[1] **Ce n'est pas de Tocqueville** : 'It is not Tocqueville's.' The *de* is a preposition here, construed with the verb, not with the name. The particle *de* is always omitted in French with surnames of more than one syllable, beginning with a consonant, when not preceded by a Christian name or a title. This usage is not always observed in English. Even the Century Dictionary falls into this error, and also speaks of "de Musset," instead of "Musset," as a Frenchman would.

SCÈNE VI

LES MÊMES, LA DUCHESSE *entre suivie de* FRANÇOIS *qui dispose son fauteuil et son panier à tapisserie, et d'une femme de chambre qui porte le consommé. Elle va s'asseoir dans le fauteuil préparé pour elle.*

MADAME DE CÉRAN. Ma chère tante, voulez-vous me permettre de vous présenter . . .

LA DUCHESSE, *s'installant.* Attends un peu . . . Attends un peu . . . Là ! Me présenter qui donc ? . . . (*Elle regarde avec son binocle.*) Ce n'est pas Raymond, j'imagine . . . Il y a 5 beau jour que je le connais.

PAUL, *s'avançant avec Jeanne.* Non, Duchesse ; mais madame Paul Raymond, sa femme, si vous le voulez bien.

LA DUCHESSE, *lorgnant Jeanne, qui salue.* Elle est jolie ! . . . Elle est très jolie ! Avec ma petite Suzanne et Lucy, malgré ses 10 lunettes, ça fera trois jolies femmes dans la maison. . . . Ce ne sera, ma foi, pas trop. (*Elle boit. A Jeanne.*) Et comment, charmante comme vous êtes, avez-vous épousé cet affreux républicain-là ? . . .

PAUL, *se récriant.* Oh ! Duchesse ! républicain, moi ! 15

LA DUCHESSE. Ah ! vous l'avez été au moins. (*Elle boit.*)

PAUL. Oh ! bien, comme tout le monde, quand j'étais petit. C'est la rougeole[1] politique cela, Duchesse ; tout le monde l'a eue.

LA DUCHESSE, *riant.* Ah ! ah ! la rougeole ! . . . Il est drôle. 20 (*A Jeanne.*) Et vous, êtes-vous un peu gaie aussi, mon enfant, voyons ?

JEANNE, *réservée.* Mon Dieu, madame la duchesse, je ne suis pas ennemie d'une gaieté décente . . . et je . . .

LA DUCHESSE. Oui ; enfin, entre un pinson et vous, il y a une 25

---

[1] rougeole : there is here perhaps a hidden pun. Extreme radicals are still called *les rouges*, the red flag being emblematic of revolution. The Royalists were formerly called *les blancs*, and the Republican soldiers were called *les bleus* by the rebel peasants of La Vendée.

différence, je vois cela. Tant pis ! tant pis ! . . . J'aime qu'on soit gaie, moi . . . surtout à votre âge. (*A la femme de chambre.*) Tenez, ôtez-moi cela. (*Elle montre sa tasse.*)

MADAME DE CÉRAN, *à la femme de chambre.* Voulez-vous con-
5 duire madame Raymond chez elle, Mademoiselle? (*A Jeanne.*) Votre appartement est par ici, à côté du mien . . .

JEANNE. Merci, Madame. (*A Paul.*) Venez, mon ami.

MADAME DE CÉRAN. Non, votre mari, je l'ai mis par là, lui, de l'autre côté, avec nos laborieux ; entre le comte, mon fils, et
10 M. Bellac, dans ce pavillon que nous appelons ici, un peu prétentieusement peut-être, le pavillon des Muses. (*A Paul.*) François va vous y conduire ; j'ai pensé que vous seriez mieux là pour travailler.

PAUL. Admirablement, Comtesse, et je vous remercie.
15 (*Jeanne le pince.*) Aïe !

JEANNE, *doucement.* Allez, mon ami !

PAUL, *bas.* Tu viendras au moins m'aider à défaire mes malles.

JEANNE. Comment?

20 PAUL. Par les corridors, en haut.

LA DUCHESSE, *à madame de Céran.* Si tu crois que tu leur fais plaisir avec ta séparation . . .

JEANNE, *bas, à Paul.* Je suis trop bonne.

MADAME DE CÉRAN, *à Jeanne.* Comment, est-ce que cet
25 arrangement vous contrarie?

JEANNE. Moi, madame la comtesse, mais pas le moins du monde. D'ailleurs, vous savez mieux que personne *quid deceat, quid non.*[1] (*Elle salue.*)

MADAME DE CÉRAN, *à Paul.* Tout à fait charmante ! (*Ils*
30 *sortent ; Paul à droite, Jeanne à gauche.*)

---

[1] **quid deceat, quid non :** Latin for 'what is proper, what not.'

SCÈNE VII

MADAME DE CÉRAN, LA DUCHESSE, *assise près de la table de gauche et travaillant à sa tapisserie*

LA DUCHESSE. Ah ! elle parle latin ! Allons ! allons ! elle ne déparera pas la collection.

MADAME DE CÉRAN. Vous savez, ma tante, que Revel est au plus mal.

LA DUCHESSE. Il ne fait que cela, et puis, qu'est-ce que cela me fait ? 5

MADAME DE CÉRAN, *s'asseyant.* Comment, ma tante ! mais Revel est un second Saint-Réault. Il occupe au moins quinze places. Celle de directeur de la Jeune École, entre autres, une situation qui mène à tout : voilà ce qu'il faudrait à Roger. 10 Justement il revient aujourd'hui et j'ai le secrétaire du Ministre à dîner ce soir, vous le savez.

LA DUCHESSE. Oui, une nouvelle couche[1] qui s'appelle Toulonnier.

MADAME DE CÉRAN. Ce soir, j'emporte la place. 15

LA DUCHESSE. Alors tu veux en faire un maître d'école, de ton fils, à présent ?

MADAME DE CÉRAN. Mais c'est le pied à l'étrier, ma tante, comprenez donc !

LA DUCHESSE. Il est vrai que tu l'as élevé comme un pion. 20

MADAME DE CÉRAN. J'en ai fait un homme sérieux, ma tante.

LA DUCHESSE. Oh ! oui, parlons-en ! un homme de vingt-

---

[1] **une nouvelle couche :** Gambetta applied the term *les nouvelles couches* to the new influential middle classes that came into political prominence after, and because of, the change to a republican form of government (the third Republic). The use of the singular by the duchess is comparable to the practice of the modern Jews, who, having kept the ancient custom of calling the Gentiles *Goyim*, "the nations," call an individual Gentile a *Goy*, "a nation." Compare the unusual plural of a collective singular, *gardes du corps* (p. 38, ls. 13–14); also the unusual singular, *charge d'âme* (p. 71, l. 18).

huit ans, qui n'a pas encore seulement . . . fait une bêtise, je le parierais ; si ce n'est pas honteux !

MADAME DE CÉRAN. A trente ans, il sera de l'Institut, à trente-cinq à la Chambre.[1]

5 LA DUCHESSE. Ah çà ! décidément, tu veux recommencer avec le fils ce que tu as fait avec le père ?[2]

MADAME DE CÉRAN. Ai-je donc si mal fait ?

LA DUCHESSE. Ah ! pour ton mari, je ne dis pas : un cœur sec, une intelligence médiocre . . .

10 MADAME DE CÉRAN. Ma tante !

LA DUCHESSE. Laisse-moi donc tranquille, c'était un imbécile, ton mari !

MADAME DE CÉRAN. Duchesse !

LA DUCHESSE. Un imbécile avec de la tenue ! Tu l'as poussé 15 dans la politique. C'était indiqué. Et encore tout ce que tu as pu en faire, c'est un ministre de l'agriculture et du commerce. Il n'y a pas tant de quoi te vanter ! Enfin, passe pour lui ; mais pour Roger, c'est autre chose : il est intelligent, lui, il a du cœur ou il en aura . . . que diable ! ou il ne serait pas mon 20 neveu. Tu ne penses pas à cela, toi ?

MADAME DE CÉRAN. Je pense à sa carrière, ma tante !

LA DUCHESSE. Et à son bonheur ?

MADAME DE CÉRAN. J'y ai pensé.

LA DUCHESSE. Oui, oui, oh ! Lucy, n'est-ce pas ? Ils s'écri-

---

[1] **à la Chambre :** the legislative power in France is exercised by two bodies, the Senate and the Chamber of Deputies. There are 581 deputies, elected for a term of four years. See p. 53, n. 1 ; also p. 62, n. 1.

[2] **avec le père :** in more than one respect Madame de Céran is modeled after Philaminte. Compare ("Les Femmes savantes," act 1, sc. 3) Henriette's characterization of her father : —

> " Mon père est d'une humeur à consentir à tout,
> Mais il met peu de poids aux choses qu'il résout.
> Il a reçu du ciel certaine bonté d'âme
> Qui le soumet d'abord à ce que veut sa femme ;
> C'est elle qui gouverne, et, d'un ton absolu,
> Elle dicte pour loi ce qu'elle a résolu. "

vent, je sais cela; c'est joli, va! Une jeune fille qui a des lunettes[1] et qui n'a pas de gorge..., tu appelles ça penser à son bonheur, toi?

MADAME DE CÉRAN. Duchesse, vous êtes terrible.

LA DUCHESSE. Une manière d'aérolithe qui est tombé ici 5 pour quinze jours et qui y est depuis deux ans, une pédante qui correspond avec les savants, qui traduit Schopenhauer.

MADAME DE CÉRAN. Une personne sérieuse, instruite, orpheline, extrêmement riche et bien née, la nièce du lord chancelier qui me l'a recommandée... ce serait pour Roger une 10 femme...

LA DUCHESSE. Cette banquise anglaise?... brrr... Rien qu'à l'embrasser il aurait le nez gelé. Du reste, tu fais fausse route, tu sais. D'abord Bellac en tient pour elle; oui, le professeur. Oh! il m'a demandé trop de renseignements... Et 15 puis elle en tient pour lui.

MADAME DE CÉRAN. Lucy?

LA DUCHESSE. Oui! Lucy! parfaitement! comme vous toutes, d'ailleurs; vous en êtes toutes folles!... Oh! mais je m'y connais mieux que toi, peut-être. Non, non, ce n'est 20 pas Lucy qu'il faut à ton fils.

MADAME DE CÉRAN. Oui? c'est Suzanne, je sais vos desseins.

LA DUCHESSE. Et je ne m'en cache pas! Oui, si j'ai amené Suzanne chez toi, c'est pour qu'il l'épouse. Si j'ai voulu qu'il fût son tuteur et un peu son maître c'est pour qu'il l'épouse, et il 25 l'épousera, j'y compte bien.

MADAME DE CÉRAN. Vous comptez sans moi, Duchesse, qui n'y consentirai jamais!

LA DUCHESSE. Et pourquoi donc? Une enfant...

MADAME DE CÉRAN. Inquiétante d'allures, sans éducation, 30 sans tenue!

LA DUCHESSE, *éclatant de rire.* Tout à fait moi, à son âge!

---

[1] lunettes... gorge: see p. 24, ls. 21–23 and note 2.

Et puis, tu auras beau faire, tu sais, si le diable s'en mêle . . . et moi donc !

MADAME DE CÉRAN. Il s'en est mêlé, Duchesse, mais pas comme vous l'espériez ; c'est vous qui faites fausse route.

5 LA DUCHESSE. Oh ! le professeur ! oui, oui, Bellac. Tu m'as dit cela. Tu crois qu'on ne peut pas aller à son cours sans l'aimer alors ?

MADAME DE CÉRAN. Mais Suzanne n'en manque pas un, ma tante, et elle prend des notes, et elle rédige, et elle travaille . . .
10 Un travail sérieux, Suzanne ! Et quand il est là, elle ne le quitte pas d'un instant, elle boit ses paroles. Et tout cela pour la science, alors ? Allons donc ! ce n'est pas la science qu'elle aime, c'est le savant ! c'est aussi clair ! Il n'y a qu'à la voir avec Lucy, d'ailleurs : elle en est jalouse. Et cette coquetterie
15 qui lui est venue, et son caractère, depuis quelque temps ? Elle chante, elle boude, elle rougit, elle pâlit, elle rit, elle pleure . . .

LA DUCHESSE. Giboulées d'avril : c'est la fleur qui vient. Elle s'ennuie, cette enfant.

20 MADAME DE CÉRAN. Ici ?

LA DUCHESSE. Ici ! Ah çà, est-ce que tu t'imagines qu'on s'amuse ici ? Mais moi, tu entends, moi ! . . . Est-ce que tu crois que si j'avais dix-huit ans je serais ici, moi, avec toutes tes vieilles et tous tes vieux ? Ah ! bien oui ! Mais je serais
25 toujours fourrée avec des jeunes gens, moi ! et les plus jeunes possible, et les plus beaux possible, et qui me feraient la cour le plus possible ! Nous autres femmes, vois-tu, il n'y a qu'une seule chose qui ne nous ennuie jamais, c'est d'aimer et d'être aimées ! Et plus je vieillis, plus je vois qu'il n'y a pas d'autre
30 bonheur au monde.

MADAME DE CÉRAN. Il y en a de plus sérieux, Duchesse.

LA DUCHESSE. De plus sérieux que l'amour ![1] Allons donc !

---

[1] **De plus sérieux que l'amour** : this makes one think of the declaration of the famous Mlle de Lespinasse (1731–1776): "Il n'y a que la

C'est-à-dire que quand celui-là vous échappe, on s'en fait d'autres : quand on est vieux on a des faux bonheurs comme on a des fausses dents, mais il n'y en a qu'un vrai ! un seul ! c'est l'amour ! c'est l'amour, je te dis !

MADAME DE CÉRAN. Vous êtes romanesque, ma tante. 5

LA DUCHESSE. C'est de mon âge, ma nièce. Les femmes le sont deux fois : à seize ans pour elles, et à soixante ans pour les autres. En résumé, tu veux que Lucy épouse ton fils ; moi, je veux que ce soit Suzanne ; tu dis que c'est Suzanne qui aime Bellac, moi, je dis que c'est Lucy. Nous avons peut- 10 être tort toutes les deux. C'est Roger qui jugera.

MADAME DE CÉRAN. Comment?

LA DUCHESSE. Oui ; je lui exposerai la situation et pas plus tard que tout à l'heure, dès son arrivée.

MADAME DE CÉRAN. Vous voulez ! . . . 15

LA DUCHESSE. Ah ! c'est son tuteur ! Il faut qu'il le sache. (*A part.*) Et puis ça l'émoustillera un peu, il en a besoin !

SCÈNE VIII

MADAME DE CÉRAN, LA DUCHESSE, LUCY, *en grande toilette décolletée, avec une pèlerine*

LUCY. Je crois que voici votre fils, Madame.

MADAME DE CÉRAN. Le comte !

LA DUCHESSE. Roger ! 20

LUCY. Sa voiture entre dans la cour.

MADAME DE CÉRAN. Enfin !

LA DUCHESSE. Tu avais peur qu'il ne revînt pas?

---

passion qui soit raisonnable." Compare also, Alfred de Musset (*L'Espoir en Dieu*) : —

> " Donnez-moi le pouvoir, la santé, la richesse,
> L'amour même, l'amour, le seul bien d'ici-bas ! "

The extreme sentimentality of the duchess is in striking contrast to Madame de Céran's ' lack of heart,' and must be kept in mind to understand the action of the play and the sequence of the dialogue.

MADAME DE CÉRAN. Qu'il ne revînt pas à temps, oui . . . à cause de cette place.

LUCY. Oh ! . . . il m'avait écrit ce matin qu'il arriverait aujourd'hui, jeudi.

5 LA DUCHESSE. Et vous avez manqué le cours du professeur pour le voir plus tôt ? c'est bien, cela.

LUCY. Oh ! ce n'est pas pour cela, Madame.

LA DUCHESSE, *bas, à madame de Céran.* Tu vois ? . . . (*Haut.*) Non, alors ? . . .

10 LUCY. Non . . . je cherchais . . . je . . . c'est autre chose qui m'a retenue.

LA DUCHESSE. Ce n'est pourtant pas pour le nommé Schopenhauer[1] que vous avez fait cette toilette-là, j'imagine ?

LUCY. Mais n'attend-on pas du monde ici, ce soir, Madame ?

15 LA DUCHESSE, *bas, à madame de Céran.* Bellac, c'est assez clair. (*A Lucy.*) Mes compliments, d'ailleurs. Il n'y a que ces affreuses lunettes . . . Pourquoi donc portez-vous des infamies pareilles ?

LUCY. Parce que je n'y vois pas sans cela, Madame.

20 LA DUCHESSE. Une belle raison ! (*A part.*) Elle est pratique ; j'ai horreur de cela, moi ! . . . C'est égal, elle est moins maigre que je ne croyais.[2] Ces Anglaises ont d'aimables surprises.

MADAME DE CÉRAN. Ah ! voici mon fils.

---

[1] **le nommé Schopenhauer :** Schopenhauer's attention was early directed to Buddhism, and his pessimistic philosophy is tainted with it. He was much read and written about at this time. The Sorbonne professor, Caro, the supposed original of Bellac, wrote and lectured about his philosophy. In so far Schopenhauer is directly connected with the subject of Saint-Réault's *conférence*. See also p. 63, ls. 22–24.

[2] **moins maigre . . . croyais :** Jules Claretie (French critic and friend of Pailleron) relates (Édouard Pailleron, Quantin, Paris, 1883) that this passage was later interpolated to mollify Mme Broisat, who had absolutely refused to play the rôle except under the following modifications: "Que 1° elle aurait vingt-quatre ans et pas vingt-cinq; 2° que les lunettes seraient un binocle et que ce binocle n'aurait pas de verres; 3° qu'elle

SCÈNE IX

LES MÊMES, ROGER

ROGER. Ma mère ! ah ! ma mère ! . . . que je suis heureux de vous revoir.

MADAME DE CÉRAN. Et moi de même, mon cher enfant. (*Elle lui tend la main qu'il baise.*)

ROGER. Qu'il y a longtemps ! . . . Encore ! (*Il lui baise encore* 5 *la main.*)

LA DUCHESSE, *à part.* Ils ne s'étoufferont pas.

MADAME DE CÉRAN, *lui faisant voir madame de Réville.* La duchesse, mon ami.

ROGER, *allant à la duchesse.* Duchesse ! 10

LA DUCHESSE. Appelle-moi ma tante et embrasse-moi !

ROGER. Ma chère tante . . . (*Il va pour lui baiser la main.*)

LA DUCHESSE. Non ! . . . non ! . . . sur les joues, moi, sur les joues, ce sont les petits profits de mon âge. . . . Mais regarde-moi donc ! . . . tu as toujours ton petit air pion ! Tiens ! tu 15 as laissé pousser tes moustaches, il est tout à fait mignon comme cela, ce garçon.

MADAME DE CÉRAN. J'espère bien, Roger, que vous couperez cela.

ROGER. Oui, ma mère, soyez tranquille . . . Ah ! Lucy ; bon- 20 jour, Lucy ! . . .

LUCY. Bonjour, Roger ! (*Poignées de mains.*) Vous avez fait un bon voyage ?

ROGER. Oh ! des plus intéressants ; figurez-vous un pays presque inexploré et, comme je vous l'écrivais, une mine 25 véritable pour le savant, le poète et l'artiste.

---

aurait de la gorge ou du moins que la duchesse le ferait entendre au public en la regardant de côté." See p. 21, ls. 1–2 ; also, p. 32, ls. 18–19.

Claretie adds that her rôle was so successful that she was quite willing, later, to be photographed in it "avec sa gorge — *mais avec ses lunettes !*"

LA DUCHESSE, *s'asseyant.* Et les femmes? Parle-moi un peu des femmes.

MADAME DE CÉRAN. Duchesse!

ROGER, *étonné.* De quelles femmes, ma tante?

5 LA DUCHESSE. De ces femmes d'Orient qui sont si belles, il paraît . . . Ah! coquin!

ROGER. Je vous avouerai, ma tante, que le temps m'a manqué pour vérifier ce . . . détail!

LA DUCHESSE, *indignée.* Ce détail!

10 ROGER, *souriant.* Du reste, le gouvernement ne m'avait pas envoyé pour cela.

LA DUCHESSE. Mais qu'est-ce que tu as vu, alors?

ROGER. Vous lirez cela dans la *Revue archéologique.*

LUCY. Sur les monuments funéraires de l'Asie occidentale, 15 n'est-ce pas, Roger?

ROGER. Oui, oh! Lucy, il y a là des *tumuli* . . .

LUCY. Ah! des *tumuli* . . .

LA DUCHESSE. Voyons, voyons, vous marivauderez quand vous serez seuls. Dis-moi un peu, tu dois être fatigué? . . . 20 Tu arrives à l'instant?

ROGER. Oh! non, ma tante, je suis depuis hier soir à Paris.

LA DUCHESSE. Tu as été au spectacle?

ROGER. Non, j'ai été simplement voir le Ministre.

MADAME DE CÉRAN. Très bien! et qu'est-ce qu'il t'a dit?

25 LUCY. Je vous laisse.

MADAME DE CÉRAN. Ah! vous pouvez rester, Lucy.

LUCY. Non, il est plus convenable que je vous laisse, je reviendrai tout à l'heure; . . . à tout à l'heure, Roger. (*Elle lui tend la main.*)

30 ROGER, *lui serrant la main.* A tout à l'heure, Lucy.

LA DUCHESSE, *à part.* Pour ceux-là, je les garantis calmes, on ne peut plus calmes. (*Lucy sort. Roger l'accompagne jusqu'à la porte de droite, madame de Céran s'assied sur le fauteuil, de l'autre côté de la table.*)

SCÈNE X

LES MÊMES *moins* LUCY

MADAME DE CÉRAN. Et qu'est-ce qu'il t'a dit, le Ministre, voyons ? . . .

LA DUCHESSE. Ah ! oui, au fait, parlons-en un peu. Il y avait longtemps . . . [1]

ROGER. Il m'a interrogé sur les résultats de mon voyage et 5
m'a demandé mon rapport dans le plus bref délai, en assignant au jour de son dépôt une récompense que vous devinez, n'est-ce pas ? (*Il montre sa boutonnière où est le ruban de chevalier.*[2])

MADAM DE CÉRAN. Officier ? C'est bien, mais j'ai mieux. Et puis ? 10

ROGER. Et puis, il m'a chargé de vous présenter ses respects, ma mère, en vous priant de penser à lui, pour cette loi, au Sénat.

MADAME DE CÉRAN. Je penserai à lui s'il pense à nous . . . Il faut te mettre à ton rapport sans tarder. 15

ROGER. A l'instant même.

MADAME DE CÉRAN. Tu as mis des cartes chez le Président ?

ROGER. Ce matin, oui, et chez le général de Briais et chez madame de Vielfond.

MADAME DE CÉRAN. Bon ! il faut qu'on sache ton retour. 20
Du reste, je ferai passer une note aux journaux. A ce propos, une observation. Les articles que tu as envoyés de là-bas sont bien : seulement j'y ai découvert avec étonnement une tendance à . . . comment dirai-je ? à l'imagination, au style ; il y a

---

[1] **Il y avait longtemps . . .** : i.e. *que nous n'en avions pas parlé* : the past tense is not unusual in this sense (but perhaps colloquial). The duchess speaks impatiently and in irony. The subject uppermost in her mind is Suzanne.

[2] **le ruban de chevalier** : the Legion of Honor (founded by Napoleon, when Consul, in 1802) embraces five classes : *chevalier*, *officier*, *commandeur*, *grand-officier*, and *grand-croix*.

des paysages . . . des digressions . . . il y a même des vers . . . (*D'un ton de reproche douloureux.*) des vers d'Alfred de Musset, mon enfant !

LA DUCHESSE. Oui, enfin, c'était presque amusant, méfie-toi
5 de cela.

MADAME DE CÉRAN. La duchesse plaisante, mon ami, mais garde-toi de la poésie, je t'en prie . . . Tu traites des matières sérieuses, sois sérieux.

ROGER. Je ne croyais pas, ma mère . . . A quoi reconnaît-on
10 qu'un article est sérieux, alors ?

LA DUCHESSE, *montrant une brochure.* A ce qu'il n'est pas coupé, mon ami.

MADAME DE CÉRAN. Ta tante exagère, mon enfant ; mais crois-moi, va, pas de poésie. Et maintenant, nous dînons à six
15 heures. Tu as ton rapport sur les *tumuli* à faire et une heure devant toi. Je ne te retiens plus ; va à ton travail, va ! . . .

LA DUCHESSE. Un instant ! . . . Maintenant que vos épanchements de cœur sont terminés, parlons d'affaires, s'il vous plaît. Et Suzanne ?

20 ROGER. Oh ! chère petite, où donc est-elle ?

LA DUCHESSE. Au cours de littératures comparées, mon ami.

ROGER. Suzanne ?

LA DUCHESSE. Oui, au cours de Bellac.

ROGER. Bellac ? . . . Qui, Bellac ? . . .

25 LA DUCHESSE. Un champignon de cet hiver, le savant à la mode, un de ces abbés galants[1] d'École Normale, courtisant les femmes, courtisé d'elles, et se poussant par ce moyen. La princesse Okolitch, qui en est folle, comme toutes nos vieilles, du reste, a imaginé de lui faire faire deux fois par semaine, dans
30 son salon, un cours dont la littérature est le prétexte et le ca-

[1] abbés galants: the *abbés galants* were those members of the clergy who, especially during the seventeenth century, lived in society like laymen, enjoying the income of their *bénéfice* and the company of ladies as though they did not care for the eternal salvation of their immortal souls! Also called *abbés de cour*.

illetage le but. Or, à force de voir toute la haute femellerie férue du génie de ce Vadius[1] jeune, aimable et facond, il paraît que ta pupille a fait comme les autres, voilà.

MADAME DE CÉRAN. Inutile, Duchesse . . .

LA DUCHESSE. Pardon, c'est son tuteur, il doit tout savoir.

ROGER. Mais qu'est-ce que cela veut dire, ma tante?

LA DUCHESSE. Ça veut dire que Suzanne est amoureuse de ce monsieur! là . . . Comprends-tu?

ROGER. Suzanne! . . . allons donc! . . . cette gamine?

LA DUCHESSE. Oh! il ne faut pas longtemps à une gamine pour passer femme, tu sais.

ROGER. Suzanne!

LA DUCHESSE. Enfin, voilà ce que ta mère prétend.

MADAME DE CÉRAN. Je prétends, je prétends que cette . . . demoiselle recherche visiblement les bonnes grâces d'un homme beaucoup trop sérieux pour l'épouser, mais assez galant pour s'amuser d'elle, et je prétends que, dans ma maison, cette aventure qui n'en est encore qu'à l'inconvenance, n'aille pas jusqu'au scandale.

LA DUCHESSE, *à Roger.* Tu entends?

ROGER. Mais, ma mère, vous me confondez! Suzanne! une enfant que j'ai laissée en robe courte, grimpant aux arbres, une gamine à qui je donnais des pensums, qui sautait sur mes genoux, qui m'appelait papa . . . Allons donc! . . . C'est impossible . . . une dépravation aussi précoce . . .

LA DUCHESSE. Une dépravation! parce qu'elle aime! Ah! tu es bien le fils de ta mère, toi, par exemple! . . . Et quant à être précoce, il y a beau jour qu'à son âge mon cœur avait

---

[1] **Vadius**: why Pailleron makes the duchess compare Bellac to Vadius rather than to Trissotin must remain a matter of speculation. Vadius hardly affects the action of Molière's comedy (act 3, sc. 5, "Les Femmes savantes"), whereas Trissotin is one of the chief characters, and Bellac resembles him in nearly every particular. (See also p. 21, ls. 14–15, where the duchess implies, at least, that it is Lucy's fortune that attracts Bellac.)

parlé . . . C'était un hussard, moi ! oui, bleu et argent ! superbe ! . . . Il était bête comme son sabre ! mais à cet âge-là ! . . . Un cœur neuf, c'est comme une maison neuve, ce ne sont pas les vrais locataires qui essuient les plâtres ![1] Enfin, il paraît
5 que Bellac . . . Ah ! c'est invraisemblable ; mais les jeunes filles . . . il faut se méfier. (*A part.*) Je n'en crois pas un mot, mais ça l'émoustille . . . (*Haut.*) Et c'est pourquoi tu vas me faire le plaisir de planter là tes *tumuli*, et de t'occuper d'elle et rien que d'elle.

SCÈNE XI

MADAME DE CÉRAN, LA DUCHESSE, ROGER, SUZANNE

10 SUZANNE, *entrant à pas de loup derrière Roger, lui met la main sur les yeux.* Coucou ! . . .

ROGER, *se levant.* Hein ?

SUZANNE, *venant se placer devant lui.* Ah ! la voilà.

ROGER, *surpris.* Mais, Mademoiselle . . .

15 SUZANNE. Vilain ! . . . qui ne reconnaît pas sa fille.

ROGER. Suzanne !

LA DUCHESSE, *à part.* Il rougit.

SUZANNE. Eh bien ! tu ne m'embrasses pas ?

---

[1] **qui essuient les plâtres**: the duchess compares a "new" heart to a new house. The house (heart) warming is not done by the real owner or permanent tenant, but by a temporary one.

The direct reference is to the custom of having new houses thoroughly dried by temporary tenants before the real tenants move in. Compare, as a matter of interest, though without direct connection, Sully-Prudhomme, *Les vieilles Maisons* : —

"Je n'aime pas les maisons neuves,
Leur visage est indifférent ;
Les anciennes ont l'air de veuves
Qui se souviennent en pleurant.

* * *

C'est pourquoi, lorsqu'on livre aux flammes
Les débris des vieilles maisons,
Le rêveur sent brûler des âmes
Dans les bleus éclairs des tisons."

MADAME DE CÉRAN. Suzanne, voyons, il n'est pas convenable . . .

SUZANNE. D'embrasser son père? . . . Ah bien! (*Elle va à lui.*)

LA DUCHESSE, *à Roger*. Mais embrasse-la donc, voyons! (*Ils s'embrassent.*) 5

SUZANNE. C'est moi qui suis contente! . . . Je ne savais pas que tu arrivais aujourd'hui, figure-toi! C'est madame de Saint-Réault qui m'a appris cela, au cours, tout à l'heure; alors, moi, sans rien dire . . . j'étais précisément près d'une porte . . . 10 je me suis esquivée et j'ai couru au chemin de fer!

MADAME DE CÉRAN. Seule?

SUZANNE. Oui, toute seule! Oh! C'est amusant! . . . Mais le plus drôle, vous allez voir! . . . J'arrive au guichet, pas d'argent, ah!! Voyant cela, un monsieur qui prenait son billet 15 m'offre de prendre le mien, un jeune homme très poli. Il allait à Saint-Germain justement. Et puis un autre, un vieux très respectable! Et puis un troisième, et puis tout le monde, tous les messieurs qui étaient là . . . ils allaient tous à Saint-Germain: « Mais, Mademoiselle, je vous en prie! . . . Je ne 20 souffrirai pas . . . Moi, Mademoiselle; moi! . . . » J'ai donné la préférence au vieux respectable; tu comprends, c'était plus convenable.

MADAME DE CÉRAN. Tu as accepté?

SUZANNE. Je ne pouvais pas rester là, voyons. 25

MADAME DE CÉRAN. D'un étranger?

SUZANNE. Puisque c'était un vieux respectable! . . . Oh! il a été très bien; il m'a aidée à monter en wagon . . . Oh! très bien! tous, du reste! . . . car ils étaient tous montés avec nous. Et si aimables! Ils m'offraient les coins, ils 30 levaient les glaces, et puis ils s'empressaient: « Par ici, Mademoiselle; . . . non, vous iriez en arrière! » . . . « Tenez, par là; pas de soleil, Mademoiselle! » . . . et ils tiraient leurs manchettes, et ils frisaient leurs moustaches, et ils faisaient des grâces, tout à fait comme pour une dame . . . Oh ! oui, c'est amusant de sortir seule ! . . . Il n'y a que le vieux respectable qui me parlait toujours de ses propriétés immenses ! . . . ça m'était bien égal.

5 MADAME DE CÉRAN. Mais c'est monstrueux !

SUZANNE. Oh ! non ; mais le plus étonnant, c'est qu'en arrivant, je retrouve mon porte-monnaie ! dans ma poche ! . . . Alors, j'ai remboursé le vieux respectable, j'ai fait une belle révérence à ces messieurs, et j'ai filé. Ah ! ah ! ils me re-
10 gardaient tous . . . (*A Roger.*) comme toi, tiens ! . . . Qu'est-ce qu'il a ? . . . Mais embrasse-moi donc encore ? . . .

MADAME DE CÉRAN, *à la duchesse.* Voilà une inconvenance qui dépasse toutes les autres.

SUZANNE. Une inconvenance !

15 LA DUCHESSE. Tu vois bien qu'elle n'a pas conscience . . .

MADAME DE CÉRAN. Une jeune fille, seule, par les chemins !

SUZANNE. Lucy sort bien seule !

MADAME DE CÉRAN. Lucy n'a pas dix-huit ans.

SUZANNE. Je crois bien ! Elle en a au moins vingt-quatre ! [1]

20 MADAME DE CÉRAN. Lucy sait se conduire.

SUZANNE. Pourquoi ? parce qu'elle a des lunettes ?

LA DUCHESSE, *riant.* Suzanne ! voyons ! . . . (*à part.*) Je l'adore, moi, cette enfant-là !

MADAME DE CÉRAN. Lucy n'a pas été renvoyée du couvent.

25 SUZANNE. Oh ! cela, c'est une injustice, tu vas voir. Quand je m'ennuyais . . .

MADAME DE CÉRAN. Inutile, votre tuteur le sait . . .

SUZANNE. Oui, mais il ne sait pas pourquoi . . . Tu vas voir si c'est une injustice. Quand je m'ennuyais trop en classe, je
30 me faisais mettre à la porte pour aller au jardin, tu comprends ! . . . Oh ! mon Dieu ! c'était bien facile . . . J'avais un moyen ! Au milieu d'un grand silence, je m'écriais : — « Ah ! ce Voltaire, quel génie ! » La sœur Séraphine me disait tout de suite :

---

[1] **vingt-quatre : cf. note 2, p. 24.**

« Sortez, Mademoiselle ! » Ce n'était pas long et ça prenait toujours. Une fois, qu'il faisait un beau soleil, je regardais par le carreau et tout d'un coup, je dis : « Ah ! ce Voltaire, quel génie ! » et j'attends. Rien ! . . . — Je répète : « Oh ! ce Voltaire . . . ! » Encore rien . . . un silence ! Tout étonnée, je me 5 retourne. La mère supérieure était là, je ne l'avais pas entendue entrer. Tableau ! Elle ne m'a pas envoyée au jardin, non, elle m'a renvoyée ici ! Ah bien ! tant pis ! . . . Assez de couvent comme ça . . . maintenant je suis une femme ! . . . Tiens !

MADAME DE CÉRAN. Votre conduite ne le prouve guère ; 10 madame de Saint-Réault doit mourir d'inquiétude.

SUZANNE. Oh ! le cours était presque fini ; elle sera ici dans un instant avec les autres et M. Bellac . . . Oh ! c'est lui qui a parlé aujourd'hui ! . . . Oh !

LA DUCHESSE, *regardant Roger.* Hum ! 15

SUZANNE. Et ce que ces dames l'ont applaudi ! . . . Et il n'en manquait pas à son cours, je vous en réponds ! Et dans des toilettes ! . . . Ça avait l'air d'un mariage à Sainte-Clotilde . . . Oh ! mais il a été . . . (*faisant claquer un baiser sur ses doigts*) superbe ! 20

LA DUCHESSE, *regardant Roger.* Hum !

SUZANNE. Superbe ! . . . Aussi, il fallait entendre ces dames . . . « Ah ! charmant ! charmant ! . . . » Madame de Loudan en poussait des petits cris de cochon d'Inde . . . ah ! ah ! ah ! Je ne l'aime pas, moi, cette femme-là ! 25

LA DUCHESSE, *regardant Roger.* Hum ! (*A Suzanne.*) Et alors, voilà les notes que tu prends au cours, toi ? . . .

SUZANNE. Moi ? . . . oh ! j'en prends d'autres. (*A Roger.*) Tu verras.

LA DUCHESSE, *à Roger, prenant le cahier de notes que* 30 *Suzanne a déposé sur la table en entrant.* On peut voir toute de suite. (*Cinq heures sonnent.*) Cinq heures ! Oh ! oh ! et ma promenade ! (*Bas à Roger.*) Eh bien, y vois-tu quelque chose . . . pour Bellac ?

ROGER. Non, je . . .

LA DUCHESSE. Cherche ! examine ! déchiffre ! C'est un palimpseste qui en vaut bien un autre ! Après tout, c'est ton métier . . .

ROGER. Je n'y entends rien.

LA DUCHESSE. Et c'est ton devoir !

MADAME DE CÉRAN, *à part.* Que de temps perdu !

LA DUCHESSE, *à part, regardant Roger.* Ça l'émoustille !

SUZANNE, *à part, les regardant tous.* Qu'est-ce qu'ils ont donc ?

SCÈNE XII

ROGER, SUZANNE

SUZANNE. Comme tu me regardes ! . . . Parce que je suis venue seule ? . . . Tu es fâché ?

ROGER. Non, Suzanne, et pourtant vous devez comprendre . . .

SUZANNE. Mais tu me dis vous ! ce n'est pas parce que tu es fâché ?

ROGER. Non, et cependant . . .

SUZANNE. Alors, c'est parce que tu trouves que je suis une femme, maintenant ? . . . hein ? . . . oui, n'est-ce pas ? . . . dis-le ! . . . oh ! dis-le . . . cela me fera tant de plaisir.

ROGER. Oui, Suzanne, vous êtes une femme maintenant et c'est précisément pour cela qu'il faut vous observer davantage.

SUZANNE, *se pressant contre lui.* C'est cela, gronde-moi, toi, je veux bien.

ROGER, *la repoussant doucement.* Voyons, mettez-vous là !

SUZANNE. Mais attends donc ! tu me dis : vous ; tu veux que je te dise vous aussi, alors ?

ROGER. Cela vaudrait mieux.

SUZANNE. Oh ! que c'est amusant ! . . . mais pas facile !

ROGER. Il y a bien d'autres convenances auxquelles il faudra désormais vous astreindre, et c'est précisément là le reproche . . .

SUZANNE. Oui, oui, oh ! je sais : pas de tenue ! monsieur Bellac me l'a assez dit.

ROGER. Ah ! monsieur . . .

SUZANNE. Mais qu'est-ce que tu veux? . . . pas moyen . . . ce n'est pas ma faute, va, je te jure, je vous jure. . . . Tu vois, ce n'est pas facile ; je m'étais pourtant bien promis qu'à ton . . . qu'à votre retour, tu me . . . vous . . . ah bien ! je ne peux pas ! tant pis ! ce sera pour une autre fois ; oui, je m'étais promis qu'à ton retour tu me retrouverais aussi raide que Lucy, et ce que je m'appliquais ! . . . Voilà six mois que je m'applique . . . Et puis, tout à coup j'apprends que tu arrives . . . et patatras ! six mois de perdus, je manque mon effet !

ROGER, *d'un ton de reproche.* Je manque mon effet !

SUZANNE. Ah ! oui, je suis contente que tu sois revenu ! . . . Je t'aime tant ! mais tant ! je t'adore ! . . .

ROGER. Suzanne ! Suzanne ! perdez donc l'habitude de vous servir de mots dont vous ne connaissez pas la portée.

SUZANNE. Comment ! . . . je ne connais pas ! . . . mais je connais très bien ! . . . je t'adore, je te dis. Est-ce que tu ne m'aimes pas, toi, avec ton air tout drôle ? . . . Pourquoi as-tu un air tout drôle ? . . . N'est-ce pas que tu m'aimes mieux que Lucy ?

ROGER. Suzanne !

SUZANNE. Bien sûr ! Tu ne vas pas l'épouser ?

ROGER. Suzanne !

SUZANNE. On me l'a dit.

ROGER. Allons ! . . . allons !

SUZANNE. Alors pourquoi lui écris-tu ? . . . oui, tu lui as écrit vingt-sept lettres, à elle ! . . . oh ! je les ai comptées . . . vingt-sept.

ROGER. C'était sur des choses . . .

SUZANNE. Et encore une ce matin . . . toujours sur des

choses, alors? Qu'est-ce que tu lui écrivais, hein . . . ce matin?

ROGER. Mais tout simplement que j'arriverais jeudi.

SUZANNE. Que tu arriverais jeudi? que ça ![1] bien vrai? Mais
5 pourquoi pas à moi, alors? Je t'aurais vu la première.

ROGER. Mais ne vous ai-je pas écrit pendant mon absence? et souvent.

SUZANNE. Oh ! souvent . . . dix fois ! et encore des petis mots de rien du tout, au bas d'une page comme à un baby. Je ne
10 suis plus un baby, va, j'ai bien réfléchi pendant ces dix mois ; j'ai appris des choses ! . . .

ROGER. Quoi? . . . quelles choses? (*Suzanne se penche sur son épaule et pleure.*) Suzanne, qu'avez-vous?

SUZANNE, *essuyant ses yeux en voulant rire.* Ah ! et puis j'ai
15 travaillé ! . . . oh ! mais beaucoup ! Tu sais, mon piano . . . l'horrible piano . . . Eh bien, je joue du Schumann, maintenant; c'est raide, hein?

ROGER. Oh ! . . .

SUZANNE. Veux-tu que je t'en joue?

20 ROGER. Non, plus tard.

SUZANNE. Tu as joliment raison ! Et puis je suis devenue savante.

ROGER. Oui, vous suivez les cours de M. Bellac ; c'est M. Bellac qui m'a remplacé, alors?

25 SUZANNE. Oui. Ah ! il a été bon ! Oh ! je l'aime bien aussi.

ROGER. Ah !

SUZANNE, *vivement.* Tu es jaloux de lui?

ROGER. Moi ! . . .

SUZANNE. Oh ! dis-le, je comprends ça ! Je suis si jalouse,
30 moi ! . . . oh ! . . . mais toi, pourquoi? Toi et un autre, ce n'est pas la même chose . . . Est-ce que tu n'es pas mon père, toi?

ROGER. Permettez, votre père . . .

---

[1] que ça: for '*rien que ça !*' 'Nothing else !' or 'Is that all?'

SUZANNE. Mais qu'est-ce que tu as donc? Voyons, câline-moi un peu, comme autrefois.

ROGER. Comme autrefois, non.

SUZANNE. Si ! . . . si ! . . . comme autrefois. (*Elle va pour l'embrasser.*) 5

ROGER. Suzanne, ah ! non, plus cela.

SUZANNE. Pourquoi?

ROGER. Allez-vous-en, voyons. Tss ! tss ! tss ! (*Il s'assied sur le canapé.*)

SUZANNE. J'aime bien quand tu fais : tss ! tss ! tss ! 10

ROGER, *même jeu*. Soyez raisonnable.

SUZANNE. Ah ! . . . assez de raison pour aujourd'hui. (*Elle lui ébouriffe les cheveux en riant.*)

ROGER. Allez-vous-en ! . . . Une grande fille ! . . .

SUZANNE, *jalouse*. Oh ! si c'était Lucy . . . 15

ROGER. Voyons, va-t'en !

SUZANNE. Tu m'as dit : tu. Un gage. (*Elle s'assied sur ses genoux et l'embrasse.*)

ROGER. Suzanne, encore une fois ! . . .

SUZANNE. Oui, encore une fois. (*Elle l'embrasse.*) 20

ROGER, *la repousse et se lève*. C'est intolérable !

SUZANNE. Je suis taquine, hein? Bah ! je vais te chercher mes cahiers, ça nous raccommodera. . . . (*Elle s'arrête à la porte et regarde.*) Ah ! voilà ces dames et M. Bellac ! Comment ! Lucy est décolletée ! Attends un peu. (*Elle sort en courant.*) 25

ROGER, *seul*, *très agité*. Intolérable ! . . .

SCÈNE XIII

ROGER, LA DUCHESSE

LA DUCHESSE. Eh bien?

ROGER. Eh bien?

LA DUCHESSE. Comme tu es ému ! 30

ROGER. Eh bien ! ... Elle a été très affectueuse ... trop peut-être !

LA DUCHESSE. Je t'engage à te plaindre ... Alors, tu n'as rien trouvé? Moi, j'ai trouvé ça. ... (*Elle tire un portrait-*
5 *carte du cahier de notes de Suzanne.*)

ROGER. La photographie? ...

LA DUCHESSE. Du professeur ... oui. ...

ROGER. Dans son cahier !

LA DUCHESSE, *légèrement.* Oui, mais ceci ...

10 ROGER. Ah ! permettez, ceci ...

LES DAMES, *du dehors.* Admirable, cette leçon ! ... Magnifique !

LA DUCHESSE. Le voilà, le bel objet[1] ! avec ses gardes du corps !

---

[1] objet: a reminiscence of seventeenth-century usage, with reference to persons when feeling is involved. Compare: —

Bélise

Clitandre abuse vos esprits;
Et c'est d'un autre objet que son cœur est épris.
. . . .

Ariste

Mais, puisque vous savez tant de choses, ma sœur,
Dites nous, s'il vous plaît, cet autre objet qu'il aime.
— *Les Femmes savantes*, act 2, sc. 3.

Compare also "L'Étourdi" (act 2, sc. 2) and "Le Misanthrope" (act 2, sc. 5): —

Lélie, seule

Mais quand d'un bel objet on est bien amoureux,
Que ne ferait-on pas pour devenir heureux?
. . . .

Éliante

L'amour, pour l'ordinaire, est peu fait à ces lois,
Et l'on voit les amants vanter toujours leur choix.
Jamais leur passion n'y voit rien de blâmable,
Et dans l'objet aimé tout leur devient aimable.

SCÈNE XIV

LES MÊMES, BELLAC, MADAME ARRIÉGO, MADAME DE LOUDAN, MADAME DE SAINT-RÉAULT, MADAME DE CÉRAN, LUCY

MADAME DE SAINT-RÉAULT. Superbe . . . il a été superbe.

BELLAC. Madame de Saint-Réault, épargnez-moi !

MADAME DE LOUDAN. Idéal ! . . . vous entendez ? Idéal . . .

BELLAC. Marquise ! . . .

MADAME ARRIÉGO. Beau ! . . . beau ! . . . beau ! . . . Oh ! je suis passionnée ! 5

BELLAC. Madame Arriégo ! voyons !

MADAME DE LOUDAN. Enfin, Mesdames, disons le mot : il a été . . . dangereux ! mais n'est-ce pas son péché d'habitude ?

BELLAC. De grâce, madame de Loudan. 10

MADAME DE LOUDAN. Oh ! d'abord, moi, je suis folle de votre talent, oui, oui, folle ! et de vous aussi ! . . . Oh ! je ne m'en cache pas ! Je le dis partout ! cyniquement . . .

MADAME ARRIÉGO. Vous savez que j'ai un autographe de lui dans mon médaillon. 15

MADAME DE LOUDAN. Et moi, une de ses plumes . . . (*A madame de Céran.*) Ah ! Comtesse, comment n'étiez-vous pas à ce cours ?

MADAME DE CÉRAN, *présentant Roger.* Voici mon excuse ! Mon fils, Mesdames. 20

LES DAMES. Ah ! Comte !

MADAME DE LOUDAN. Voilà donc l'exilé de retour !

ROGER, *saluant.* Mesdames !

MADAME DE CÉRAN, *présentant Bellac à son fils.* Monsieur Bellac . . . le comte Roger de Céran. 25

MADAME DE LOUDAN. Je reconnais que l'empêchement était inéluctable [1] . . . mais vous, Lucy, vous ?

---

[1] **inéluctable** : characteristic of madame de Loudan's tendency to preciosity or poetic affectation. Compare *dénimbez* (p. 41, l. 5), *le refuge psychique des pures extases* (p. 41, l. 11), *le filleul des fées* (p. 41, l. 30),

LUCY. Moi, j'avais affaire ici.

MADAME DE LOUDAN. Vous absente, il lui manquait sa muse.

BELLAC, *galamment.* Ah ! Marquise, je pourrais vous répondre : vous en êtes une autre.

5 MADAME DE LOUDAN. Il est charmant. (*A Lucy.*) Ah ! vous ne savez pas ce que vous avez perdu.

LUCY. Oh ! je sais . . .

MADAME ARRIÉGO. Non ! elle ne le sait pas ! une flamme ! une passion !

10 MADAME DE LOUDAN. Une suavité de parole ! une délicatesse de pensée !

BELLAC. Devant un pareil auditoire, qui ne serait éloquent ?

LA DUCHESSE. Et de quoi a-t-il parlé aujourd'hui ?

TOUTES. De l'amour !

15 LA DUCHESSE, *à Roger.* Bien entendu !

MADAME ARRIÉGO. Et comme un poète !

MADAME DE LOUDAN. Et comme un savant ! un psychologue doublé d'un rêveur ! une lyre et un scalpel ! . . . C'était . . . Ah ! il n'y a qu'une chose que je n'accepte pas, c'est que 20 l'amour ait sa raison dans l'instinct.

BELLAC. Mais, Marquise, je parlais . . .

MADAME DE LOUDAN. Ah ! cela, non ! non !

BELLAC. Je parlais de l'amour dans la nature.

MADAME DE LOUDAN. L'instinct, pouah ! Mesdames, aidez-25 moi, défendons-nous ! Lucy !

BELLAC. Vous tombez mal, Marquise, miss Watson tient pour l'instinct.

MADAME DE SAINT-RÉAULT. Est-il possible, Lucy !

MADAME DE LOUDAN. L'instinct !

30 MADAME ARRIÉGO. Dans l'amour !

---

la perfide beauté des soirs de printemps (p. 43, l. 11), *ces humidités bleues* (p. 43, l. 14; recalling Chateaubriand's '*le jour bleuâtre et velouté de la lune*'), *ces premiers bégaiements de la foi* (p. 53, l. 28, etc.), *la virginité d'un succès* (p. 59, l. 15), and elsewhere.

MADAME DE LOUDAN. Mais c'est voler à l'âme son plus beau fleuron ; mais il n'y a plus ni bien ni mal alors, Lucy.

LUCY, *froidement.* Il ne s'agit ici ni du bien ni du mal, Madame, mais . . .

MADAME DE LOUDAN, *avec indignation.* Non, vous dénimbez l'amour ! 5

LUCY. Hunter et Darwin . . .

MADAME DE LOUDAN. Non ! non ! non ! Personne mieux que moi ne connaît les fatalités du corps ! La matière nous domine, nous oppresse, je le sais ! je le sens ! mais laissez-nous au moins le refuge psychique des pures extases ! 10

BELLAC. Mais, Marquise . . .

MADAME DE LOUDAN. Taisez-vous ! vous êtes un vilain ! . . . Je vous boude.

BELLAC. Nous nous réconcilierons, je l'espère, quand vous lirez mon livre. 15

MADAME DE LOUDAN. Mais quand? mais quand? Oh ! ce livre, le monde entier l'attend ! et il n'en veut rien dire, pas même le titre !

TOUTES. Le titre, au moins, le titre ! 20

MADAME ARRIÉGO. Lucy ! vous ! insistez !

LUCY. Eh bien ! le titre?

BELLAC, *à Lucy après un temps.* Mélanges !

MADAME DE LOUDAN. Oh ! que c'est joli . . . mais quand ! mais quand? 25

BELLAC. J'en hâte la publication, comptant bien qu'elle me sera un droit de plus à la place que je sollicite.

MADAME DE CÉRAN. Vous sollicitez?

MADAME ARRIÉGO. Que peut-il désirer encore?

MADAME DE LOUDAN. Lui, le filleul des fées ! 30

BELLAC. Mon Dieu ! ce pauvre Revel est au plus mal, vous le savez. Et à tout événement, je l'avoue sans pudeur, j'ai posé ma candidature à la direction de la Jeune École.

LA DUCHESSE, *à madame de Céran.* Et de trois !

BELLAC. Mesdames, le cas échéant, ce qu'à Dieu ne plaise, je me recommande à votre toute-puissance.

LES DAMES. Soyez tranquille, Bellac.

BELLAC, *allant vers la duchesse.* Et vous, Duchesse, puis-je
5 espérer?

LA DUCHESSE. Oh! moi! mon cher monsieur, il ne faut rien me demander avant le dîner; la fatalité du corps me domine, comme dit madame de Loudan. (*On entend une cloche.*) Et tenez, voilà le premier coup, vous n'avez plus qu'un
10 quart d'heure. Allez vous habiller, nous causerons de cela à table.

MADAME DE CÉRAN. A table! mais monsieur Toulonnier n'est pas arrivé, Duchesse!

LA DUCHESSE. Ah! c'est ça qui m'est égal, par exemple; à
15 six heures précises, avec ou sans lui . . .

MADAME DE CÉRAN. Sans lui! un secrétaire général![1]

LA DUCHESSE. Oh! sous la République! (*Suzanne entre avec ses cahiers sous le bras et va les poser sur la table de droite.*)

MADAME DE CÉRAN. Je vais à sa rencontre. (*A Bellac.*)
20 Mon cher professeur, on va vous montrer votre chambre. (*Elle sonne, François entre.*)

---

[1] **un secrétaire général:** this is a fictitious title when applied to the *ministère.* The title that it represents is very likely that of *Chef du cabinet du ministre,* or *Chef du secrétariat particulier.* The former represents the *ministre* in all important political matters of his department; the latter is the principal private secretary, having charge of the routine correspondence, etc. Pailleron probably avoided purposely the use of a title that might apply to some definite person. As there is, however, a *Secrétaire de la présidence,* and a *Secrétaire général de la préfecture,* the title seems plausible.

As it was, the Parisian public took keen interest in fitting Pailleron's realistic portraits to supposed originals, especially in the case of Professor Bellac and the poet Des Millets; so much so, indeed, that the author thought it necessary to write, in the preface to a later edition: "Qu'on ait trouvé des personnalités dans cette comédie, je n'en suis pas surpris; on trouve toujours des personnalités dans les comédies de caractère, comme on se découvre toujours des maladies dans les livres de médecine."

BELLAC. Inutile, Comtesse, j'ai le bonheur de connaître le chemin. (*Bas, à Lucy.*) Vous avez reçu ma lettre?

LUCY. Oui, mais . . . (*Bellac lui fait signe de se taire, s'incline et sort par la porte d'appartement à droite.*)

MADAME DE LOUDAN. Et nous, Mesdames, allons nous faire belles pour le dieu ! 5

MADAME ARRIÉGO. Allons !

MADAME DE CÉRAN. Venez-vous avec moi, Lucy?

LUCY. Volontiers, Madame.

MADAME DE LOUDAN. Dans cette toilette? Vous ne redoutez pas la perfide beauté des soirs de printemps, ma chère? 10

LUCY. Oh ! je n'ai pas froid.

MADAME DE LOUDAN. Vous êtes une fille des brumes, c'est vrai. Pour moi, j'ai grand'peur de ces humidités bleues. (*Elle sort avec madame Arriégo par la porte d'appartement, à gauche. Au moment où Lucy va suivre madame de Céran dans le jardin, elle est arrêtée par François.*) 15

FRANÇOIS, *à Lucy.* Je ne trouve toujours pas ce papier rose, Miss.

SUZANNE, *ramassant un papier rose qu'elle vient de faire tomber de la table en dérangeant les papiers qui l'encombrent pour y poser ses cahiers, et à part.* Un papier rose ! (*Elle le regarde.*) 20

LUCY. Ah ! oui, la lettre de ce matin.

SUZANNE, *à part, la cachant vivement derrière elle.* La lettre de ce matin ! 25

LUCY, *s'en allant.* Oh ! bien ! ne cherchez plus, c'est inutile. (*Elle sort par la porte du jardin. François sort derrière elle.*)

SCÈNE XV

LA DUCHESSE, ROGER, SUZANNE

SUZANNE, *à part, regardant Lucy, puis Roger.* La lettre de ce matin !

LA DUCHESSE. Comment ! tu n'es pas encore prête, toi non 30

plus? Mais qu'est-ce que tu viens faire ici? (*Suzanne regarde Roger sans répondre.*)

ROGER, *à la duchesse.* Ah! ce sont ses cahiers. Donnez, Suzanne. (*Il va à elle, Suzanne lui tend ses cahiers en le re-*
5 *gardant toujours, sans parler.*) Qu'est-ce qu'elle a?

LA DUCHESSE. Voyons un peu ces cahiers! (*Roger va à la duchesse assise à gauche. Suzanne, à droite près de la table, essaie de déplier sans être vue le papier qu'elle tient de la main gauche.*)

10 ROGER, *regardant Suzanne, et à part, avec étonnement.* C'est singulier.

LA DUCHESSE, *à Roger, l'attirant à elle.* Mais plus près donc! Ah! dame, mes yeux! . . .

ROGER, *baisse les cahiers tout en regardant furtivement*
15 *Suzanne, et tout d'un coup il saisit le bras de la duchesse. Bas.* Ma tante!

LA DUCHESSE, *bas à Roger.* Qu'est-ce qui te prend!

ROGER. Regardez! Ne levez pas la tête. Elle cherche à lire quelque chose! Une lettre! Voyez-vous? elle se cache;
20 voyez-vous?

LA DUCHESSE. Oui!

SUZANNE, *qui a ouvert le papier, lisant.* « J'arriverai jeudi. » (*Avec étonnement.*) De Roger! Sa lettre de ce matin à Lucy! (*Elle regarde le papier.*) Mais pourquoi écrit comme ça ren-
25 versé[1] et pas signé? (*Elle lit.*) « Le soir, à dix heures, dans la serre. Ayez la migraine. » Ah!

---

[1] **renversé**: this word may mean any one of three things: —

1. Mirror-writing, writing resembling the reflection of ordinary writing in a mirror, usually quite legible from the back, through the paper, when held up to the light. It is difficult to read otherwise, and does not serve as a disguise when read from the reverse side or in a mirror.

2. Backhand, the letters having a pronounced slope downward from left to right.

3. Backward, with words and letters written from the left to the right. As no one seems to have any difficulty in reading it, the second is prob-

LA DUCHESSE. Mais qu'est-ce que ça peut être? (*Appelant.*) Suzanne!

SUZANNE, *surprise, met la main qui tient la lettre derrière son dos et se retournant vers la duchesse.* Ma tante?

LA DUCHESSE. Qu'est-ce que tu lis donc là? 5

SUZANNE. Moi, ma tante? Rien....

LA DUCHESSE. Il me semblait... Viens donc ici.

SUZANNE, *glissant la lettre sous les livres de la table contre laquelle elle est appuyée avec sa main gauche qu'elle tient derrière son dos.* Oui! ma tante!... (*Elle marche vers la duchesse.*) 10

LA DUCHESSE, *à part.* Ah! mais voilà qui est curieux, par exemple.

SUZANNE, *près de la duchesse.* Qu'est-ce que vous voulez, ma tante?

LA DUCHESSE. Va donc me chercher un manteau. 15

SUZANNE, *hésitant.* Mais...

LA DUCHESSE. Tu ne veux pas?

SUZANNE. Si..., si, ma tante.

LA DUCHESSE. Là, dans ma chambre. Va! (*Suzanne sort. A Roger.*) Sur la table, vite! 20

ROGER. Quoi?

LA DUCHESSE. La lettre! cachée! Je l'ai vue!

ROGER. Cachée! (*Il va à la table et cherche.*)

LA DUCHESSE. Oui, dans le coin, là, sous le livre noir! Tu ne vois rien? 25

ROGER. Non... Ah! si!... Un papier rose! (*Il prend la lettre et l'apporte en lisant, à la duchesse.*) Oh!

LA DUCHESSE. Quoi donc?

ROGER, *lisant.* « J'arriverai jeudi. » De Bellac.

LA DUCHESSE, *lui arrachant la lettre et la regardant.* De!... 30 Mais ce n'est pas signé! Et l'écriture...

---

ably the interpretation to be given here, although it would appear by Littré (*renversé*, Paleog.) and Sachs-Villatte (*Spiegelschrift*) that the usual meaning is the first.

ROGER. Renversée, oui. Oh ! le monsieur est prudent ! Mais « j'arriverai jeudi » c'est lui ou moi !

LA DUCHESSE, *lisant.* « Le soir à dix heures dans la serre. Ayez la migraine ! » Un rendez-vous ! (*Lui tendant la lettre.*) 5 Vite ! vite ! remets-la ! Je l'entends.

ROGER, *troublé.* Oui. . . . (*Il remet la lettre où il l'a prise.*)

LA DUCHESSE. Et reviens maintenant.

ROGER, *toujours troublé.* Oui, oui !

LA DUCHESSE. Vite donc ! vite ! (*Roger reprend sa place* 10 *auprès de sa tante.*) Et du calme ! la voilà ! . . . (*Suzanne rentre. Haut, en feuilletant les cahiers.*) Eh bien ! mais, c'est très bien cela, très bien !

SUZANNE. Voici votre manteau, ma tante.

LA DUCHESSE. Merci, mon enfant. (*Bas à Roger.*) Parle 15 donc, toi. (*Suzanne va à la table, reprend la lettre et y jette encore les yeux en se détournant comme auparavant, pendant que Roger parle.*)

ROGER, *troublé.* Il y a, en effet, là . . . des progrès étonnants . . . et . . . je m'étonne . . . (*Bas à la duchesse, montrant* 20 *Suzanne.*) Ma tante !

LA DUCHESSE, *bas.* Oui, elle l'a reprise, je l'ai vue. (*On entend la cloche, haut.*) Le second coup ! Mais va donc t'habiller, Suzanne, tu ne seras jamais prête !

SUZANNE, *à part, regardant Roger.* Un rendez-vous ! à 25 Lucy ! Oh ! (*Elle marche sur Roger sans rien lui dire et, le regardant toujours, lui prend des mains ses cahiers, les déchire, les jette à terre avec colère et sort.*)

SCÈNE XVI

LA DUCHESSE, ROGER

ROGER, *stupéfait, se tournant vers la duchesse.* Ma tante !

LA DUCHESSE. Un rendez-vous !

30 ROGER. De Bellac !

La Duchesse. Allons donc ! . . .

Roger, *se laissant tomber sur un siège.* Je n'ai plus ni bras ni jambes ! (*On entend des voix au dehors ; la porte du fond s'ouvre.*)

La Duchesse, *regardant au dehors.* Et voilà le Toulonnier ! 5 et tout le monde ! et le dîner ! . . . Tiens, va mettre ton habit, ça te calmera, tu es pâle ! . . .

Roger. Suzanne, ce n'est pas possible, enfin ! (*Il sort.*)

La Duchesse. Eh ! non, ce n'est pas possible . . . et cependant ! . . . 10

SCÈNE XVII

LA DUCHESSE, MADAME DE CÉRAN, TOULONNIER, SAINT-RÉAULT, MADAME DE SAINT-RÉAULT; *peu après,* LUCY, MADAME DE LOUDAN, MADAME ARRIÉGO, *entourant* BELLAC

Madame de Céran, *présentant Toulonnier à la duchesse.* Monsieur le secrétaire général, ma tante.

Toulonnier, *saluant.* Madame la duchesse !

La Duchesse. Ma foi, mon cher monsieur Toulonnier, j'allais dîner sans vous. 15

Toulonnier. Excusez-moi, madame la duchesse, mais les affaires ! Nous sommes littéralement débordés. Vous voudrez bien me permettre de me retirer de bonne heure, n'est-ce pas ?

La Duchesse. Comment donc ? Avec plaisir.

Madame de Céran, *embarrassée.* Hum ! Ah ! Monsieur 20 Bellac !

Toulonnier, *à qui madame de Céran présente Bellac.* Monsieur ! (*Bellac et lui se serrent la main et causent.*)

Madame de Céran, *revenant à la duchesse.* Ménagez-le, ma tante, je vous en prie. 25

La Duchesse. Ton républicain ? Allons donc ! Un homme qui nous donne vingt minutes, comme le roi ! A-t-on idée de cela ?

MADAME DE CÉRAN. Au moins, vous accepterez son bras pour aller à table?

LA DUCHESSE. Pas du tout! Garde-le pour toi! Je prendrai le petit Raymond, moi; c'est plus gai.

5 ROGER, *arrivant habillé et effaré, à la duchesse.* Ma tante!

LA DUCHESSE. Qu'est-ce qu'il y a encore? Quoi?

ROGER. Oh! mais une chose! ... Je viens d'entendre dans le corridor! ... En haut ... Oh! c'est à ne pas croire!

LA DUCHESSE. Mais quoi?

10 ROGER. Je n'ai vu personne, mais j'ai entendu positivement! ... (*Raymond et Jeanne entrent furtivement.*)

LA DUCHESSE. Mais quoi? Mais quoi?

ROGER. Eh bien, le bruit d'un baiser, là!

LA DUCHESSE, *bondissant.* D'un ...

15 ROGER. Oh! je l'ai entendu!

LA DUCHESSE. Mais qui? ...

MADAME DE CÉRAN, *présentant Raymond à Toulonnier.* Monsieur Paul Raymond, sous-préfet d'Agenis. (*Ils se saluent.*)

RAYMOND. Monsieur le secrétaire général (*présentant Jeanne*),
20 madame Paul Raymond. (*Suzanne entre décolletée.*)

MADAME DE LOUDAN, *voyant Suzanne.* Oh! oh!

BELLAC. Ah! voilà ma jeune élève. (*Légers murmures d'étonnement.*)

ROGER, *à la duchesse.* Ma tante, voyez donc, décolletée!
25 mais c'est épouvantable.

LA DUCHESSE. Je ne trouve pas ... (*A part.*) Elle a pleuré.

FRANÇOIS, *annonçant.* Madame la duchesse est servie.[1]

ROGER, *allant à Suzanne, qui cause avec Bellac.* Oh! je veux savoir! ... (*Lui offrant son bras.*) Suzanne! (*Suzanne*
30 *le regarde fièrement et prend le bras de Bellac, qui parle à Lucy.*)

BELLAC, *à Suzanne.* Voilà qui va me faire bien des envieux, Mademoiselle.

---

[1] **Madame la duchesse est servie:** *Madame ... est servie* is the usual formula for announcing dinner.

ROGER, *à lui-même.* Oh ! c'est trop fort ! (*Il va offrir son bras à Lucy.*)

LA DUCHESSE, *à part.* Qu'est-ce que tout cela signifie? (*Haut.*) Allons, Raymond, votre bras. (*Raymond vient près d'elle.*) Ah ! dame, il faut souffrir pour être préfet, mon ami. 5

PAUL. La pénitence est douce, Duchesse.

LA DUCHESSE. Vous vous mettrez à côté de moi, à table, nous dirons du mal du gouvernement.

PAUL. Oh ! Duchesse ! moi, un fonctionnaire, en dire ! Oh ! non . . . mais je peux en entendre ! 10

---

[1] **nous dirons du mal du gouvernement**: to speak ill of the government was still everybody's privilege and custom, whether Radical or Conservative; Legitimist or Orleanist; or Imperialist.

It must be remembered that since 1790 France has had seventeen constitutions, of almost every conceivable variety; and it must not be forgotten that not until 1884, three years after the action of this play, and one year after the death of the Comte de Chambord, did the people of France, by constitutional enactment, definitively commit themselves to the republican form of government. During the latter part of 1872, Thiers (French statesman and historian; first president of the third Republic; lived 1797–1877) offended the Monarchists by the announcement that in his opinion the time had come when the republican form of government should be definitively adopted. The Legitimists and the Orleanists thereupon joined forces, overthrew Thiers, and attempted to restore the monarchy through the election of the Comte de Chambord ; an attempt which was frustrated by the Count himself in the publication of the so-called "White Flag" letter, in which he repudiated the tricolor, and the principles of the Revolution as embodied in a constitution. This was the death blow to the hopes and aspirations of the Monarchists, although, as has been said above, it was not until after the Count's death that the Republic was definitively established. This was accomplished by Article 2 of the Amendments of August, 1884, which is as follows: —

"The Republican form of the Government cannot be made the subject of a proposed revision.

"Members of families that have reigned in France are ineligible to the presidency of the Republic."

ACTE DEUXIÈME[1]

Même décor qu'au premier acte

SCÈNE PREMIÈRE

SAINT-RÉAULT, BELLAC, TOULONNIER, ROGER, PAUL RAYMOND, MADAME DE CÉRAN, MADAME ARRIÉGO, MADAME DE LOUDAN, LA DUCHESSE, SUZANNE, LUCY, JEANNE

Tout le monde est assis et rangé pour écouter Saint-Réault qui termine sa lecture.

SAINT-RÉAULT. Et qu'on ne s'y trompe pas ! Si profondes dans leur étrangeté qu'apparaissent ces légendes, ce ne sont, comme l'écrivait, en 1834, mon illustre père, ce ne sont que de pauvres imaginations comparées aux conceptions surhumaines
5 des Brahmanas recueillis dans les Oupanischas, ou bien aux dix-huit Puranas de Vyasa, le compilateur des Védas.

JEANNE, *bas, à Paul.* Tu dors?

PAUL. Non, non . . . j'entends comme un vague auvergnat.

SAINT-RÉAULT, *continuant.* Tel est, en termes clairs, le *con-*
10 *cretum* de la doctrine bouddhique, et c'est par là que je voulais terminer. (*Bruit.—On se lève.*)

---

[1] Pailleron's mastery of technique is best illustrated in his *ensemble* scenes, as throughout this act, and in the second act of "l'Age ingrat" and "Cabotins." The conversation, in ever-changing groups of characters, is interesting, apropos, animated, and directly advancing the action while arising naturally out of the situations, the whole giving an impression of reality that is rarely equaled on the stage.

PLUSIEURS VOIX, *faiblement*. Très bien ! Très bien !

SAINT-RÉAULT. Et maintenant . . . (*Silence subit. On va se rasseoir.*)

SAINT-RÉAULT. Et maintenant . . . (*Il tousse.*)

MADAME DE CÉRAN, *avec empressement*. Vous êtes fatigué, 5 Saint-Réault ?

SAINT-RÉAULT. Mais non, Comtesse.

MADAME ARRIÉGO. Si ! vous êtes fatigué ; reposez-vous, nous attendrons !

PLUSIEURS VOIX. Oui ! reposez-vous ! reposez-vous ! 10

MADAME DE LOUDAN. Vous ne sauriez planer toujours ! Reprenez terre, Baron.

SAINT-RÉAULT. Merci, mais . . . D'ailleurs, j'avais fini ! (*Tout le monde se lève.*)

PLUSIEURS VOIX, *dans le bruit*. Très intéressant ! Un peu 15 obscur ! Très bien ! Trop long !

BELLAC, *aux dames*. Matérialiste ! Trop matérialiste !

PAUL, *à Jeanne*. C'est un four !

SUZANNE, *très haut*. Monsieur Bellac !

BELLAC. Mademoiselle ? 20

SUZANNE. Venez donc à côté de moi. (*Bellac va vers elle.*)

ROGER, *bas*. Ma tante !

LA DUCHESSE, *de même*. C'est-à-dire qu'elle a l'air de le faire exprès, positivement !

SAINT-RÉAULT, *revenant à la table*. Plus qu'un mot ! (*Etonnement. On se rassied dans un silence consterné.*) ou, pour 25 mieux m'exprimer, un vœu. — Ces études, dont, malgré les limites étroites et la forme légère que mon genre d'auditoire m'imposait . . .

LA DUCHESSE, *à part*. Eh bien ! il est poli ! 30

SAINT-RÉAULT. . . . on aura peut-être entrevu l'immense portée, ces études, dis-je, ont eu, en 1821, il y a tantôt soixante ans, pour initiateur . . . je vais plus loin, pour inventeur, — l'homme de génie dont j'ai le pesant honneur d'être le fils.

PAUL, *à Jeanne*. Il en joue du cadavre,[1] celui-là.

SAINT-RÉAULT. Dans la voie qu'il avait tracée, je l'ai suivi moi-même, et, non sans éclat, j'ose le dire. Un autre enfin, après nous, a tenté, comme nous, d'arracher quelques mots de 5 l'éternelle vérité au sphinx jusqu'à nous impénétré des théogonies primitives . . . j'ai nommé Revel, un savant considéré, un homme considérable. Mon illustre père est mort, Revel, bientôt, l'aura suivi dans la tombe . . . s'il ne l'a fait déjà. Je reste donc seul sur cette terre nouvelle de la science dont 10 Guillaume Ériel de Saint-Réault, mon père, a été le premier occupant ! Seul ! (*Regardant Toulonnier.*) Puissent nos gouvernants ; puissent les dépositaires et dispensateurs du pouvoir, à qui incombe la périlleuse mission de choisir un successeur au confrère regretté que nous aurons à pleurer demain, 15 peut-être ; puissent ces hommes éminents (*Regardant Bellac qui parle à Toulonnier*), en dépit des sollicitations plus ou moins légitimes qui les assiègent, faire un choix éclairé, impartial, — et déterminé uniquement par la triple autorité de l'âge, des aptitudes et des droits acquis, un choix digne, enfin, 20 de mon illustre père, et de la grande science qui est son œuvre, et que je suis, je le répète, seul à représenter aujourd'hui. (*Tout le monde se lève. On applaudit, grand mouvement. Bourdonnement de salon. Les domestiques entrent et circulent portant des plateaux, et pendant ce temps :*)

25 VOIX DISTINCTES, *dans ce bruit*. Très bien ! bravo ! bravo !

PAUL. Ah ! ça, c'est plus clair, à la bonne heure.

MADAME DE CÉRAN. C'est une candidature à la succession Revel.

BELLAC. A l'Académie, à la Jeune École, à tout !

---

[1] **Il en joue du cadavre**: the meaning is that Saint-Réault is bringing into the play (or making use of) a *deus ex machina* to help him out, which happens to be, if the expression may be allowed, a *cadaver ex machina*. The *en* is, of course, pleonastic. This use of *jouer de* is not uncommon.

MADAME DE CÉRAN, *à part.* Je m'en doutais bien.

LE DOMESTIQUE, *annonçant.* Le général comte de Briais ! — Monsieur Virot !

LE GÉNÉRAL, *baisant la main de madame de Céran.* Comtesse ! 5

MADAME DE CÉRAN. Ah ! Monsieur le sénateur . . .

VIROT, *baisant la main de madame de Céran.* Madame la comtesse.

MADAME DE CÉRAN, *à Virot.* Et vous, mon cher député, trop tard ! vous arrivez trop tard ! 10

LE GÉNÉRAL, *galamment.* On arrive toujours trop tard dans votre salon, Comtesse !

MADAME DE CÉRAN. Monsieur de Saint-Réault avait la parole : c'est tout dire !

LE GÉNÉRAL, *à Saint-Réault en le saluant.* Oh ! oh ! que 15 de regrets !

VIROT, *lui prenant le bras et allant vers la gauche.* Et alors, si la Chambre vote la loi, vous la rejetez ?

LE GÉNÉRAL. Mais certainement . . . au moins la première fois,[1] que diable ! Le Sénat se doit bien cela ! 20

VIROT. Ah ! la duchesse ! (*Ils vont la saluer. Paul Raymond et Jeanne se glissent hors du salon, dans le jardin.*)

MADAME DE CÉRAN, *à Saint-Réault.* C'est vrai, vous vous êtes surpassé aujourd'hui, Saint-Réault.

MADAME ARRIÉGO. Oui, oui, surpassé ! Pas de plus bel 25 éloge.

MADAME DE LOUDAN. Ah ! Baron ! Baron ! quel monde vous nous avez ouvert, et qu'ils sont captivants ces premiers bégaie-

---

[1] **au moins la première fois** : a measure passed by the Chamber of Deputies and rejected by the Senate can be returned to the Senate for reconsideration, in which case it is usually passed to avoid a conflict with the Chamber. A measure does not become a law until it has passed both houses, when it is promulgated by the president of the Republic and published in the *Journal officiel.*

ments de la foi ! Ah ! votre Trinité bouddhique ![1] . . . d'abord, moi, j'en suis folle !

LUCY, *à Saint-Réault.* Excusez ma hardiesse, Monsieur, mais il me semble que dans votre énumération des livres sacrés, il
5 y a une lacune.

SAINT-RÉAULT, *piqué.* Vous croyez, Mademoiselle?

LUCY. Je ne vous ai entendu citer ni le Mahabharata, ni le Ramayana.

SAINT-RÉAULT. C'est que ce ne sont pas des livres révélés,
10 Mademoiselle, mais de simples poèmes, que leur ancienneté rend pour les Indous un objet de vénération, il est vrai, mais de simples poèmes.

LUCY. Pourtant, l'Académie de Calcutta . . .

SAINT-RÉAULT, *ironique.* Ah ! c'est du moins l'opinion des
15 Brahmes ! Si vous en avez une autre . . .

SUZANNE, *très haut.* Monsieur Bellac?

BELLAC. Mademoiselle !

---

[1] **Trinité bouddhique**: although Saint-Réault is evidently discussing Buddhism (see p. 50, ls. 9–10: Tel est, en termes clairs, le *concretum* de la doctrine bouddhique), we were told by madame de Céran (p. 15, ls. 4–5) that he would read a part of his unpublished work on Rama, Ravana, and the Sanskrit legends. But then we are also told (p. 54, ls. 7–8) that he made no mention of the Mahabharata and the Ramayana (at least in his enumeration of the sacred books of the Hindoos), although the latter of these would necessarily have been his chief authority for a lecture on Rama and Ravana. Further, we are told by the duchess (p. 55, ls. 10–11) "that he had put her to sleep with his Brahma, the old bonze!" Now "bonze" is a name given to a Buddhist priest. This confusion of Buddhism and Brahmanism is probably to be attributed to Pailleron as author, rather than to Saint-Réault, for purposes of satire, since the latter's very pedantry would have precluded the possibility of such a gross error.

There is no Buddhist Trinity, although there is a Brahmanic Trinity (the Trimurti, or Hindoo Trinity, composed of Brahma, Vishnu, and Siva — three manifestations of Brahm), and there may be said to be a Vedic Trinity (composed of the representative gods of earth, air, and sky — Agni, Vayu, and Surya). The Brahmanic Trinity seems to be a comparatively late formation. The Mahabharata represents Brahma, Vishnu, and Indra as being the sons of Mahadeva, or Siva.

SUZANNE. Donnez-moi donc votre bras ; je voudrais prendre l'air un instant.

BELLAC. Mais . . . Mademoiselle ! . . .

SUZANNE. Vous ne voulez pas?

BELLAC. Mais, croyez-vous qu'en ce moment? . . . 5

SUZANNE. Venez donc ! Venez donc ! (*Elle l'entraîne. Ils sortent.*)

ROGER, *à la duchesse.* Ma tante ! Elle sort avec lui !

LA DUCHESSE. Eh bien, suis-les. Attends, je vais avec toi. Aussi bien, j'ai besoin de marcher un peu ; il m'endormait avec 10 son Brahma, ce vieux bonze. (*Ils sortent.*)

TOULONNIER, *à Saint-Réault.* Plein de vues neuves et d'érudition. . . . (*Bas.*) J'ai parfaitement compris l'allusion de la fin, mon cher baron ; mais elle était inutile. Vous savez bien que nous sommes tout à vous. (*Ils se serrent la main.*) 15

MADAME DE CÉRAN, *à Saint-Réault.* Pardon ! (*Bas à Toulonnier.*) Vous n'oubliez pas mon fils ?

TOULONNIER. Je n'oublie pas plus ma promesse que la vôtre, Comtesse.

MADAME DE CÉRAN. Vous aurez vos six voix au Sénat, 20 c'est convenu ; mais, convenu aussi qu'après son rapport publié . . .

TOULONNIER. Comtesse, vous savez bien que nous sommes tout à vous.

PAUL, *à Jeanne, revenant du jardin furtivement.* Je te dis 25 qu'on nous a vus.

JEANNE. Trop noir sous les arbres.

PAUL. Déjà, avant le dîner, nous avons failli être pris. Deux fois c'est trop ! Je ne veux plus.

JEANNE. Ah ! m'as-tu promis de m'embrasser dans les coins, 30 oui ou non?

PAUL, *animé.* Et toi, veux-tu être préfète, oui ou non?

JEANNE, *animée aussi.* Oui, mais je ne veux pas être veuve. (*Madame de Céran s'approche d'eux.*)

PAUL, *bas à Jeanne.* La comtesse ! . . . (*Haut.*) Vraiment, Jeanne, — vous préférez le Bhagavata ?

JEANNE. Mon Dieu ! mon ami, le Bhagavata . . .

MADAME DE CÉRAN. Comment ! Vous avez entendu quelque
5 chose à toute cette science, Madame ? Notre pauvre Saint-Réault m'a pourtant semblé ce soir particulièrement prolixe et obscur.

PAUL, *à part.* La concurrence !

JEANNE. Vers la fin, cependant, madame la comtesse, il a été
10 assez clair.

MADAME DE CÉRAN. Ah ! oui, sa candidature : vous avez compris ?

JEANNE. Et puis, la science qui repousse la foi, n'a-t-elle pas elle-même un peu besoin de foi ? a écrit M. de Maistre.

15 MADAME DE CÉRAN. Très joli ! Il faut que je vous présente à quelqu'un qui vous sera très utile : le général de Briais, le sénateur.

JEANNE. Et le député, madame la comtesse ?

MADAME DE CÉRAN. Oh ! le sénateur est plus puissant.

20 JEANNE. Mais le député est peut-être plus influent ?

MADAME DE CÉRAN. Décidément, mon cher Raymond, vous avez eu la main heureuse . . . (*Serrant la main de Jeanne.*) Et moi aussi. (*A Jeanne.*) Soit ! à tous les deux, alors !

PAUL, *suivant Jeanne, qui suit madame de Céran, et bas.*
25 Ange ! ange !

JEANNE, *de même.* Nous irons encore dans les coins ?

PAUL. Oui, ange ! mais quand il y aura plus de monde . . . Tiens ! pendant la tragédie.

LE DOMESTIQUE, *annonçant.* Madame la baronne de Boines !
30 — Monsieur Melchior de Boines.

LA BARONNE, *à madame de Céran qui vient la recevoir.* Ah ! ma chère, arrivé-je à temps ?

MADAME DE CÉRAN. Si c'est pour la science, il est trop tard ; si c'est pour la poésie, il est trop tôt. J'attends encore mon poète.

35 LA BARONNE. Qui donc ?

MADAME DE CÉRAN. Un inconnu.

LA BARONNE. Jeune?

MADAME DE CÉRAN. Je n'en sais rien. Mais, j'en suis sûre . . . C'est son premier ouvrage. C'est Gaïac qui me l'amène. Vous savez, Gaïac, du *Conservateur*. Ils devaient être là à 5 neuf heures. Je ne comprends pas . . .

LA BARONNE. Je bénéficierai du hasard. Mais ce n'est ni pour le savant ni pour le poète que je viens ; c'est pour lui, ma chère, pour Bellac ; je ne le connais pas, figurez-vous. Il paraît qu'il est si séduisant. La princesse Okolitch en est folle, vous 10 savez. Où est-il? Oh ! montrez-le-moi, Comtesse.

MADAME DE CÉRAN. Mais, je le cherche et je . . . (*Voyant Bellac entrer avec Suzanne.*) Tiens !

LA BARONNE. C'est lui qui entre là, avec mademoiselle de Villiers? 15

MADAME DE CÉRAN, *étonnée*. Oui, lui-même.

LA BARONNE. Ah ! qu'il est bien, ma chère ; qu'il est bien ! Et vous le laissez aller comme cela, avec cette petite?

MADAME DE CÉRAN, *à part, regardant Suzanne et Bellac*. C'est singulier . . . 20

MELCHIOR. Et Roger, Comtesse, pourrai-je lui serrer la main !

MADAME DE CÉRAN. En ce moment, j'en doute ; il doit être en plein travail. (*La duchesse et Roger entrent.*)

MADAME DE CÉRAN, *à part, en les voyant*. Hein? Avec la duchesse. Mais que se passe-t-il donc? 25

ROGER, *à la duchesse, très ému.*—Eh bien ! Vous avez entendu, ma tante?

LA DUCHESSE. Oui, mais je n'ai pas vu.

ROGER. C'était bien un baiser, cette fois !

LA DUCHESSE. Et solide ! Ah çà ! qui est-ce qui s'embrasse[1] 30 donc comme ça, ici?

---

[1] **qui . . . s'embrasse donc comme ça**: interrogative *qui*, strictly pronominal, is singular and takes the verb in the singular. The full expression would probably be: "Qui sont ceux (*or* ces personnes) qui s'embrassent

ROGER. Qui? Qui?

LA DUCHESSE, *voyant madame de Céran s'approcher.* Ta mère!

MADAME DE CÉRAN. Comment, Roger, tu n'es pas à ton
5 travail?

ROGER. Non, ma mère, je . . .

MADAME DE CÉRAN. Eh bien, et tes *tumuli?*

ROGER. J'ai le temps, je passerai la nuit, je . . . et puis à un jour près! . . .

10 MADAME DE CÉRAN. Y penses-tu? Le Ministre attend, mon enfant.

ROGER. Eh! ma mère, il attendra! (*Il s'éloigne.*)

MADAME DE CÉRAN, *stupéfaite.* Duchesse, qu'est-ce que cela signifie?

15 LA DUCHESSE. Dis-moi; est-ce qu'on ne doit pas nous lire quelque insanité ce soir, une tragédie, je ne sais quoi?

MADAME DE CÉRAN. Oui.

LA DUCHESSE. Eh bien! dans l'autre salon,[1] ta lecture, n'est-ce pas? Débarrasse-moi celui-ci. J'en aurai besoin, et le plus
20 tôt sera le mieux.

MADAME DE CÉRAN. Mais pourquoi?

LA DUCHESSE. Je te dirai cela pendant la tragédie.

LE DOMESTIQUE, *annonçant.* M. le vicomte de Gaïac; M. Des Millets!

25 LA DUCHESSE. Et tiens! Justement, voilà ton poète!

MURMURES DES DAMES. Le poète? c'est le poète! le jeune poète! Où donc? où donc?

GAÏAC. Que j'ai d'excuses à vous faire, Comtesse! Mais le journal m'a retenu. (*Bas.*) Je préparais le compte rendu de

---

donc comme ça?" The reciprocal pronoun must be kept when the singular is used. Compare the German usage, which is quite the same.

[1] **dans l'autre salon**: a very clever device of the author. The comic effect of the opening and closing of the door between the two rooms, with the burst of tragic eloquence of the declaiming poet, is irresistible. See pp. 72, 74, and 75.

votre soirée. (*Haut.*) M. Des Millets, mon ami, le poète tragique, dont vous allez pouvoir tout à l'heure apprécier le talent.

DES MILLETS, *saluant.* Madame la comtesse.

LA DUCHESSE, *à Roger.* C'est ça le jeune poète? Eh bien, il est tout neuf. 5

MADAME ARRIÉGO, *bas aux autres dames.* Affreux !

LA BARONNE, *de même.* Tout gris !

MADAME DE SAINT-RÉAULT, *de même.* Chauve !

MADAME DE LOUDAN, *de même.* Pas de talent ! Il est trop laid, ma chère ! 10

MADAME DE CÉRAN, *à Des Millets.* Nous sommes très heureux, mes invités et moi, Monsieur, de la faveur que vous voulez bien nous faire.

MADAME DE LOUDAN, *s'approchant.* La virginité d'un succès, Monsieur ! Quelle reconnaissance ! 15

DES MILLETS, *confus.* Ah ! Madame ! . . .

MADAME DE CÉRAN. Et alors, c'est votre premier ouvrage, Monsieur?

DES MILLETS. Oh ! j'ai fait des poèmes ! 20

GAÏAC. Et couronnés par l'Académie, madame la comtesse ! Nous sommes lauréat.

JEANNE, *bas, à Paul, avec admiration.* Lauréat ![1]

PAUL, *à Jeanne. Mediocritas !*[1]

MADAME DE CÉRAN. Et c'est la première fois que vous abordez le théâtre? Du reste, la maturité de l'âge garantit la maturité du talent. 25

DES MILLETS. Hélas ! madame la comtesse, il y a quinze ans que ma pièce est faite.

LES DAMES. Quinze ans ! Est-ce possible? Vraiment ! 30

---

[1] **Lauréat** *mediocritas:* the pun is a trifle obscure for non-French readers. By the continental pronunciation of Latin, l'*aurea* and Fr. *lauréat* sound alike, producing the *aurea mediocritas* of Horace, with the added suggestion of "crowned by the French Academy for mediocrity!"

GAÏAC. Oh ! c'est que Des Millets a la foi ! Il faut soutenir ceux qui ont la foi, n'est-ce pas, Mesdames?

MADAME DE LOUDAN. Oui, il a raison, certainement. Il faut encourager la tragédie, n'est-ce pas, Général? la tragédie . . .

5 LE GÉNÉRAL, *interrompant sa conversation avec Virot.* Hein? Ah ! oui, la tragédie ! Horace ! Cinna ! Il en faut ! Certainement ! Il faut une tragédie, pour le peuple. (*A Des Millets.*) Et peut-on savoir le titre?

DES MILLETS. Philippe-Auguste !

10 LE GÉNÉRAL. Très beau sujet ! sujet militaire ! Et c'est en vers, sans doute?[1]

DES MILLETS. Oh ! Général ! . . . une tragédie !

LE GÉNÉRAL. Et en plusieurs actes, probablement?

DES MILLETS. Cinq !

15 LE GÉNÉRAL, *très haut.* Ah ! ah ! . . . (*Doucement.*) Tant mieux ! Tant mieux !

JEANNE, *bas à Paul.* Cinq actes ! Quel bonheur ! Nous aurons le temps de nous . . .

PAUL. Chut !

20 MADAME DE LOUDAN. Un travail de longue haleine !

MADAME DE SAINT-RÉAULT. Grand effort !

MADAME ARRIÉGO. Il faut encourager cela ! (*On entend Suzanne rire.*)

MADAME DE CÉRAN. Suzanne !

25 LA DUCHESSE, *à madame de Céran.* Allons, emmène cette espèce d'Euripide . . . voyons, et son cornac, et tout le monde !

MADAME DE CÉRAN. Eh bien, Mesdames, allons dans le grand salon pour la lecture. (*A Des Millets.*) Vous êtes prêt, 30 Monsieur?

DES MILLETS. A vos ordres, madame la comtesse.

---

[1] en vers, sans doute : all French classic tragedies are in rhymed verse, with five acts; hence the surprise of Des Millets at the general's questions.

PAUL, *bas, à Jeanne.* Place aux jeunes !

MADAME DE CÉRAN. Allons, Mesdames !

MADAME DE LOUDAN, *l'arrêtant.* Oh ! auparavant, Comtesse, je vous en supplie, laissez-nous exécuter notre petit complot, ces dames et moi. (*Allant à Bellac, et d'un ton suppliant.*) 5 Monsieur Bellac ?

BELLAC. Marquise ?

MADAME DE LOUDAN. Nous implorons de vous une grâce.

BELLAC, *gracieusement.* La grâce que vous me demandez n'égalera jamais la grâce que vous me faites en me la demandant. 10

TOUTES LES DAMES. Oh ! très joli !

MADAME DE LOUDAN. Cette œuvre poétique va probablement absorber la soirée entière, elle en sera le dernier rayonnement. Dites-nous quelque chose auparavant. Oh ! si peu que vous le voudrez ! On ne taxe pas le génie ! . . . Mais, quelque 15 chose ! . . . Parlez ! Votre parole sera reçue comme la manne biblique !

SUZANNE. Oui. Oh ! monsieur Bellac !

MADAME ARRIÉGO. Soyez bon !

LA BARONNE. Nous sommes à vos pieds ! 20

BELLAC, *se défendant.* Oh ! Mesdames.

MADAME DE LOUDAN. Aidez-nous, Lucy ; vous, sa muse ! Demandez-le, vous !

LUCY. Mais certainement, je le demande.

SUZANNE. Et moi, je le veux ! 25

MURMURES. Oh ! oh !

MADAME DE CÉRAN. Suzanne !

BELLAC. Du moment qu'on emploie la violence . . .

MADAME DE LOUDAN. Ah ! il consent ! Un fauteuil ? (*Grand mouvement des dames autour de lui.*) 30

MADAME ARRIÉGO. Une table ?

MADAME DE LOUDAN. Voulez-vous qu'on se recule ?

MADAME DE CÉRAN. Un peu de place, Mesdames !

BELLAC. Oh ! je vous en prie, rien qui rappelle . . .

VIROT, *au général.* Ah ! mais, prenez garde ; la loi est populaire.

TOUS. Chut !

BELLAC. Je vous en supplie, pas de mise en scene . . . rien
5 qui dénonce . . .

VIROT. Eh bien ! oui. Mais les électeurs ? . . .

LÉ GÉNÉRAL. Je suis inamovible ![1]

LES DAMES. Chut ! Chut donc ! Ah ! Général !

BELLAC. Rien qui sente la leçon, la conférence, le pédantisme.
10 Je vous supplie, Mesdames, causons ; interrogez-moi, simplement.

MADAME DE LOUDAN, *les mains jointes.* Oh ! Bellac ! Quelque chose de votre livre ?

MADAME ARRIÉGO, *de même.* De votre livre, oui !

15 SUZANNE, *de même.* Oh ! monsieur Bellac !

BELLAC. Irrésistibles prières ! Pourtant souffrez que j'y résiste. Avant d'être à tout le monde, . . . mon livre ne sera à personne.

MADAME DE LOUDAN, *avec intention.* Pas même . . . à une
20 seule personne ?

BELLAC. Ah ! Marquise, comme disait Fontenelle à madame de Coulanges : « Prenez garde ! il y a peut-être là un secret.»

TOUTES LES DAMES. Ah ! charmant ! Ah ! charmant !

LA BARONNE, *bas à madame de Loudan.* Il a beaucoup
25 d'esprit.

MADAME DE LOUDAN, *de même.* Il a mieux que de l'esprit.

LA BARONNE, *de même.* Quoi donc ?

MADAME DE LOUDAN, *de même.* Des ailes ! vous verrez, des ailes !

30 BELLAC. Ce n'est ni le lieu, ni l'heure, du reste, vous en conviendrez, Mesdames, d'approfondir quelques-uns de ces éternels

---

[1] **inamovible**: of the three hundred members of the Senate, seventy-five had at first (1875) a life tenure. Since 1884, however, all senators are chosen for a term of nine years. See p. 20, n. 1.

problèmes où se plaisent les âmes de haut vol, comme les vôtres, que tourmentent incessamment les mystérieuses énigmes de la vie et de « l'au delà. »[1]

Les Dames. Ah ! « L'au delà ! » ma chère, « l'au delà ! »

Bellac. Mais, ceci réservé, je suis à vos ordres. Et tenez, précisément, il me revient à la pensée une de ces questions toujours agitées, jamais résolues, sur laquelle je vous demanderai la permission de m'affirmer en deux mots.

Les Dames. Oui, oui ! parlez !

Bellac, *s'asseyant.* Il s'agit de l'amour !

Les Dames. Ah ! ah !

La Duchesse, *à part.* Pour changer !

Suzanne. Bravo ! (*Légers murmures.*)

Jeanne, *à Paul.* Elle va bien, la jeune fille !

Bellac. De l'amour ! — Faiblesse qui est une force ! — sentiment qui est une foi ! la seule, peut-être, qui n'ait pas un athée !

Les Dames. Ah ! ah ! charmant !

Madame de Loudan, *à la baronne.* Ses ailes, ma chère . . . voilà !

Bellac. J'avais été amené ce matin à parler — chez la princesse, à propos de la littérature allemande, d'une certaine philosophie[2] qui fait de l'instinct la base et la règle de toutes nos actions et de toutes nos pensées.

Les Dames, *protestant.* Oh ! oh !

Bellac. Eh bien, je saisis cette occasion pour déclarer hautement que cette opinion n'est pas la mienne, et que je la repousse de toute l'énergie d'une âme fière d'être !

Les Dames. Très bien ! A la bonne heure.

La Baronne, *bas, à madame de Loudan.* Quelle jolie main !

---

[1] **l'au delà :** *au delà* is uncommon as a substantive, except in religious poetic style.

[2] **certaine philosophie :** the reference is to the philosophy of Schopenhauer. See p. 64, l. 2; also, p. 24, l. 12, and n. 1.

BELLAC. Non, Mesdames, non ! L'amour n'est pas, comme le dit le philosophe allemand, une passion purement spécifique ; une illusion décevante dont la nature éblouit l'homme pour arriver à ses fins, non, cent fois non, si nous avons une
5 âme !

LES DAMES. Oui, oui !

SUZANNE. Bravo !

LA DUCHESSE, *bas, à Roger.* Elle le fait exprès, décidément.

BELLAC. Laissons aux sophistes et aux natures vulgaires ces
10 théories qui abaissent les cœurs ; ne les discutons même pas ; répondons-leur par le silence, ce langage de l'oubli !

LES DAMES. Charmant !

BELLAC. A Dieu ne plaise que j'aille jusqu'à nier l'influence souveraine de la beauté sur la chancelante volonté des hommes !
15 (*Regardant autour de lui.*) Je vois trop devant moi de quoi me réfuter victorieusement ! . . .

LES DAMES. Ah ! ah !

ROGER, *à la duchesse.* Il l'a regardée !

LA DUCHESSE. Oui.

20 BELLAC. Mais, au-dessus de cette beauté perceptible et périssable, il en est une autre, insoumise au temps, invisible aux yeux, et que l'esprit épuré seul contemple et aime d'un immatériel amour. Cet amour-là, Mesdames, c'est l'Amour, c'est-à-dire l'accouplement de deux âmes et leur envolement
25 loin des fanges terrestres . . . dans l'infini bleu de l'idéal !

LES DAMES. Bravo ! bravo !

LA DUCHESSE, *à elle-même un peu haut.* En voilà du galimatias.

BELLAC, *la regardant.* Cet amour-là, raillé des uns, nié des
30 autres, inconnu du plus grand nombre, je pourrais dire, moi aussi, en frappant sur mon cœur : et cependant, il existe ! De nobles cœurs l'ont ressenti, de grands poètes l'ont chanté, et dans le ciel apothéotique des rêves, on voit radieusement assises ces figures immortelles, preuve immaculée d'un immor-

tel et psychique amour : Béatrice, Elvire,[1] Laure de Noves ... Héloïse ! et bien d'autres encore, ignorées ou connues : car elle est, plus qu'on ne le croit, nombreuse, la phalange des chastes et secrètes amours ... J'en appelle à toutes les femmes ! ...

LES DAMES. Ah ! ah ! comme c'est vrai, ma chère ! 5

BELLAC. Non ! non ! l'âme a son langage qui est à elle, ses aspirations, ses voluptés et ses tortures qui sont à elle, sa vie enfin. Et si elle est attachée au corps, c'est comme l'aile l'est à l'oiseau : pour l'élever aux cimes !

LES DAMES. Ah ! ah ! ah ! bravo ! 10

BELLAC, *se levant.* Voilà ce que la science moderne doit comprendre ... (*Regardant Saint-Réault.*) elle qu'un matérialisme de plomb rive à la terre, et j'ajouterai, puisque notre vénérable maître et ami a fait tout à l'heure une allusion — un peu hâtive, peut-être — à une perte dont la science, je l'espère, 15 n'aura pas sitôt à gémir, j'ajouterai ... (*Regardant Toulonnier, à qui Saint-Réault parle en ce moment.*) parlant, moi aussi, à nos gouvernants : Voilà ce qu'il devra enseigner à cette jeunesse que Revel instruisait de sa parole, celui, quel qu'il soit, qui sera choisi pour l'instruire après lui, et non pas seulement, j'en 20 demande pardon à notre illustre confrère, non pas avec l'insuffisante autorité des droits acquis, de l'érudition et de l'âge, mais avec l'irrésistible puissance d'une voix jeune encore et d'une ardeur qui ne s'éteint pas ! [2]

TOUS. Bravo ! Charmant ! Exquis ! Délicieux ! (*Tout le* 25 *monde se lève. — Bruits bourdonnants faisant la basse. — Les dames entourent Bellac.*)

---

[1] Compare, in this connection, Victor de Laprade (*A la jeunesse*): —

> "Aux buissons printaniers tout en cueillant des roses,
> Vous saviez des hauts lieux gravir l'âpre chemin,
> Et pour vous y conduire, amants des saintes choses,
> Elvire ou Béatrix vous prenait par la main."

Compare also Villon's *Ballade des dames du temps jadis.*

[2] **d'une voix jeune encore et d'une ardeur qui ne s'éteint pas**: an echo of the end of the peroration of Bossuet's oration on Condé.

LA DUCHESSE, *à part.* Attrapé, Saint-Réault !

PAUL, *de même.* Deuxième candidature !

MADAME DE LOUDAN. Ah ! monsieur Bellac !

SUZANNE. Mon cher professeur !

5 LA BARONNE. Quelle fête pour l'esprit !

MADAME ARRIÉGO. C'est beau ! beau ! beau !

BELLAC. Oh ! Mesdames, je n'ai fait que rendre vos idées !

MADAME DE LOUDAN. Ah ! charmeur ! charmeur !

BELLAC. Alors, nous sommes réconciliés, Marquise ?

10 MADAME DE LOUDAN. Peut-on vous tenir rigueur ? (*Présentant la baronne.*) Madame la baronne de Boines, tenez, encore une que vous venez de séduire et qui est toute à vous.

LA BARONNE. J'ai pleuré, monsieur !

BELLAC. Oh ! madame la baronne !

15 MADAME ARRIÉGO. N'est-ce pas que c'est superbe ?

LA BARONNE. Superbe !

SUZANNE. Et comme il a chaud ! (*Bellac cherche son mouchoir.*) Vous n'en avez pas ? Tenez ! (*Elle lui donne le sien.*)

BELLAC. Oh ! Mademoiselle !

20 MADAME DE CÉRAN. Mais, Suzanne, y pensez-vous ?

SUZANNE, *à Bellac, qui veut lui rendre son mouchoir.* Si, si, gardez-le, je vais vous chercher à boire.

MADAME DE LOUDAN, *remontant vers la table devant laquelle a parlé Saint-Réault et où se trouve le plateau à verres d'eau*
25 *sucrée.* Oui, oui, à boire !

ROGER, *bas à la duchesse.* Ma tante, voyez !

LA DUCHESSE, *de même.* Tout ça . . . tout ça, c'est bien hardi pour être coupable.

BELLAC, *bas, à Lucy.* Et vous, êtes-vous convaincue ?

30 LUCY. Oh ! pour moi, le concept de l'amour . . . Non, plus tard . . .

BELLAC, *de même.* Tout à l'heure ? . . .

LUCY. Oui. . . . Voulez-vous un verre d'eau ? (*Elle remonte.*)

MADAME DE LOUDAN, *arrivant avec un verre d'eau.* Non !

moi ! que le dieu m'excuse ! . . . c'est de l'eau pure ! Ah ! le secret du nectar est perdu.

MADAME ARRIÉGO, *arrivant avec un verre d'eau.* Un verre d'eau, monsieur Bellac ?

MADAME DE LOUDAN. Non, non . . . Choisissez le mien ! . . . moi ! 5

MADAME ARRIÉGO. Non . . . moi ! moi !

BELLAC, *embarrassé.* Mais . . .

LUCY, *lui tendant un autre verre d'eau.* Tenez !

MADAME DE LOUDAN. Cela va être Lucy, j'en suis sûre. . . . Oh ! je suis jalouse ! Non ! moi ! moi ! 10

SUZANNE, *arrivant avec un autre verre d'eau et le lui imposant.* Pas du tout ! Ce sera moi ! Ah ! ah ! quatrième larron ! [1]

LUCY. Mais, Mademoiselle ! . . . 15

MADAME DE LOUDAN, *à part.* Cette petite est d'une effronterie . . .

ROGER, *à la duchesse, lui montrant Suzanne.* Ma tante !

LA DUCHESSE. Mais, qu'est-ce qu'elle a ?

ROGER. C'est depuis l'arrivée de Bellac. (*Les portes du fond s'ouvrent et le grand salon paraît éclairé.*) 20

LA DUCHESSE. Enfin ! (*A madame de Céran.*) Emmène ton monde, toi ; tu sais, voilà le moment !

MADAME DE CÉRAN. Allons, Mesdames, la lecture de notre tragédie ! Passons dans le grand salon ! Après quoi, nous irons prendre le thé dans la serre ! 25

LUCY, BELLAC, ET SUZANNE, *à part.* Dans la serre !

ROGER, *bas, à la duchesse.* Avez-vous vu Suzanne ? Elle a fait un mouvement.

LA DUCHESSE, *de même.* Bellac a remué positivement. 30

---

[1] **quatrième larron**: the reference is to a fable of La Fontaine (French fabulist and poet; 1621–1695), "Les Voleurs et l'Ane," in which a fourth thief puts an end to the strife of the other three by possessing himself of the ass over which they were disputing.

MADAME DE LOUDAN. Allons, Mesdames, la Muse nous appelle! (*Tout le monde commence à passer lentement dans le grand salon du fond.*)

LE GÉNÉRAL, *à Paul.* Comment, mon cher sous-préfet, trois
5 ans!

MADAME DE CÉRAN. Allons, Général!

LE GÉNÉRAL, *qui cause avec Paul.* Ah! oui, Comtesse, oui, la tragédie!... Vous avez raison, il faut encourager cela!... Cinq actes, allons!

10 JEANNE, *bas, à Paul.* C'est convenu, à tout à l'heure!

PAUL, *de même.* Mais oui!... mais oui! C'est convenu.

LE GÉNÉRAL, *revenant à Paul.* Trois ans, alors, sous-préfet à la même place? Et on dit que ce gouvernement n'est pas conservateur!

15 PAUL. Oh! très joli, monsieur le sénateur, très joli!

LE GÉNÉRAL, *modestement.* Oh!

TOULONNIER, *à madame de Loudan.* C'est entendu, Marquise!... (*A madame Arriégo.*) A votre disposition, chère madame!

20 BELLAC, *à Toulonnier.* Alors, monsieur le secrétaire général, je puis donc espérer?

TOULONNIER, *lui donnant la main.* Mais, mon cher ami, cela vous revient de droit; vous savez bien que nous sommes tout à vous. (*Ils sortent par le fond.*)

25 LE GÉNÉRAL, *à Paul, en remontant.* Et quel est l'esprit de votre département, mon cher sous-préfet? Vous devez le connaître, que diable! en trois ans!

PAUL. Mon Dieu! Général, son esprit... je vais vous dire ... son esprit... il n'en a pas! (*Ils sortent par le fond.*
30 *Suzanne frôle en passant les touches du piano ouvert avec un grand bruit.*)

MADAME DE CÉRAN, *sévèrement, à Suzanne.* Ah! mais, Suzanne, en vérité!...

SUZANNE, *d'un air étonné.* Quoi donc, ma cousine!

LA DUCHESSE, *l'arrêtant et la regardant en face.* Qu'est-ce que tu as?

SUZANNE, *avec un sourire nerveux.* Moi! ... Je m'amuse, tiens!

LA DUCHESSE. Qu'est-ce que tu as? 5

SUZANNE. Mais rien, ma tante, puisque je m'amuse, je vous dis.

LA DUCHESSE. Qu'est-ce que tu as?

SUZANNE, *avec un sanglot étouffé.* J'ai du chagrin, là! (*Elle entre dans le grand salon et referme violemment les portes.*) 10

LA DUCHESSE, *à elle-même.* C'est pourtant bien de l'amour, ou je ne m'y connais pas ... Et je m'y connais!

SCÈNE II

ROGER, LA DUCHESSE, MADAME DE CÉRAN

MADAME DE CÉRAN, *à la duchesse.* Ah çà! voyons, qu'est-ce qu'il y a? (*A Roger.*) Pourquoi n'est-tu pas à ton rapport? Qu'est-ce qui se passe, enfin? 15

ROGER. Vous aviez trop raison, ma mère!

MADAME DE CÉRAN. Suzanne? ...

ROGER. Suzanne ... et cet homme! ...

LA DUCHESSE. Tais-toi! tu vas dire une bêtise.

ROGER. Mais ... 20

LA DUCHESSE, *à madame de Céran.* Voilà! nous avons surpris dans ses mains une lettre.

MADAME DE CÉRAN. De Bellac?

LA DUCHESSE. Je n'en sais rien!

ROGER. Comment! 25

LA DUCHESSE. Écriture contrefaite, pas signé ... Je n'en sais rien!

ROGER. Oui, oui ... Oh! il ne se compromet pas ... mais écoutez ...

LA DUCHESSE, *à Roger.* Tais-toi ! (*A madame de Céran.*) Écoute : « J'arriverai jeudi » . . .

ROGER. Aujourd'hui ! Par conséquent, c'est lui ou moi !

LA DUCHESSE. Mais tais-toi donc, à la fin ! . . . « Jeudi ; le
5 soir, à dix heures, dans la serre. »

ROGER. « Ayez la migraine. »

LA DUCHESSE. Ah ! oui. J'oubliais . . . « Ayez la migraine. »

MADAME DE CÉRAN. Mais c'est un rendez-vous !

LA DUCHESSE. Ça, c'est clair.

10 MADAME DE CÉRAN. A elle !

LA DUCHESSE. Ça, je n'en sais rien.

ROGER. Oh ! je crois pourtant . . .

LA DUCHESSE. Ah ! . . . tu crois ! . . . tu crois ! . . . Quand il s'agit d'accuser une femme, tu entends ! . . . une femme ! il ne
15 suffit pas de croire, il faut voir, et quand on a vu et bien vu et revu . . . Alors ! oh ! alors . . . Eh bien ! alors, ce n'est pas encore vrai ! Ah ! (*A part.*) C'est toujours bon à dire aux jeunes gens, ces choses-là !

MADAME DE CÉRAN. Un rendez-vous ! Qu'est-ce que je di-
20 sais ? Allons ! allons ! Dans ma maison ! . . . Ah ! . . . Enfin, Duchesse, qu'allez-vous faire ? Dites vite ! J'ai bien prié que l'on commençât sans moi ; mais je ne peux pas m'éterniser ici ! Et tenez, c'est commencé ; j'entends le poète. Je vous en supplie, qu'allez-vous faire ?

25 LA DUCHESSE. Ce que je vais faire ? . . . Mais, rester là . . . tout simplement . . . Dix heures moins le quart. Si elle va à ce rendez-vous, il faudra qu'elle passe par ici, et je le verrai bien.

ROGER. Et si elle y va, ma tante ?

30 LA DUCHESSE. Si elle y va, mon neveu ? Eh bien ! j'irai aussi, et sans rien dire, et je verrai où ils en sont, et quand j'aurai vu où ils en sont . . . alors comme alors, il sera temps d'agir.

ROGER, *s'asseyant.* Soit ! attendons.

MADAME DE CÉRAN. Oh ! toi, inutile, mon ami ! Nous sommes là. Tu as ton rapport, tes *tumuli*, toi, va ! (*Elle le pousse vers la porte.*)

ROGER. Permettez ! ma mère, il s'agit . . .

MADAME DE CÉRAN, *même jeu.* Il s'agit de ta place. Allons . . . Va . . . va ! 5

ROGER, *résistant.* Pardonnez-moi de vous désobéir, mais . . .

MADAME DE CÉRAN. Eh bien ! Roger . . .

ROGER. Ma mère, je vous en supplie . . . D'ailleurs, ce soir, il me serait impossible d'écrire une ligne. Je suis trop . . . Je 10 ne sais pas . . . Je suis très troublé. J'ai le sentiment de ne pas avoir fait pour cette jeune fille ce que je devais faire. Je suis très ému. Mais, pensez donc, ma mère . . . Suzanne ! Mais, ce serait affreux ! Ma situation est épouvantable !

LA DUCHESSE. Allons ! . . . tu exagères ! 15

ROGER, *bondissant.* En vérité !

MADAME DE CÉRAN. Roger ! Y pensez-vous?

ROGER. Mais je suis son tuteur, moi ; mais j'ai charge d'âme ![1] Mais pensez donc à ma responsabilité ! l'honneur de cette enfant ! Mais c'est un dépôt sacré dont j'ai la garde ! Mais 20 j'aurais laissé voler sa fortune que je serais moins criminel ![2] Et vous venez me parler de *tumuli !* Eh ! les *tumuli!* les *tumuli !* Il s'agit bien des *tumuli !* Au diable les *tumuli !*

---

[1] **charge d'âme**: *avoir charge d'âmes* is a phrase used to express the relation of a pastor to his flock. The singular used here means that Roger considers himself a pastor with a single lamb. "Her soul is in my keeping."

Compare a similar use of the singular in the last chapter of Halévy's "L'Abbé Constantin," where Bettina says: "Eh bien, monsieur le curé, de même que vous avez, vous, charge d'âmes, il me semble que j'ai, moi, charge d'argent."

[2] **Mais j'aurais . . . moins criminel**: the logical principal clause, *je serais moins criminel*, is transformed into a consecutive subordinate clause introduced by *que* (= 'yet'), and concession is expressed by the assertive principal clause, *j'aurais laissé voler sa fortune.* Trans. "Why, had I allowed her fortune to be stolen, I should be less guilty."

MADAME DE CÉRAN, *terrifiée*. Oh !

LA DUCHESSE, *à part*. Tiens ! tiens !

ROGER. Mais c'est-à-dire que si c'est vrai, si ce misérable a osé manquer à tout ce qu'il devait à lui, à elle, à nous-mêmes
5 . . . mais je vais droit à lui, et je le soufflette devant tout le monde . . . entendez-vous ?

MADAME DE CÉRAN. Mon fils !

ROGER. Oui, devant tout le monde !

MADAME DE CÉRAN. Mais, c'est de l'égarement ! Duchesse
10 . . . pardonnez . . .

LA DUCHESSE. Comment ! Mais je l'aime bien mieux comme cela . . . tu sais . . .

MADAME DE CÉRAN. Roger !

ROGER. Non, ma mère, non ! Ceci me regarde . . . j'at-
15 tendrai. . . . (*Il s'assied.*)

MADAME DE CÉRAN. C'est bien. . . . J'attendrai aussi.

ROGER. Vous ?

MADAME DE CÉRAN. Oui, et je lui parlerai . . .

LA DUCHESSE. Ah ! mais, prends garde !

20 MADAME DE CÉRAN. Oh ! à mots couverts, soyez tranquille ; mais, si elle persiste, ce sera du moins en connaissance de cause ! J'attendrai. (*Elle s'assied.*)

LA DUCHESSE. Et pas longtemps ! Dix heures moins cinq ! Si elle doit avoir la migraine, cela ne va pas tarder. (*La porte*
25 *du salon du fond s'ouvre doucement.*) Chut !

ROGER. La voilà ! (*A mesure que la porte s'ouvre on entend le poète déclamer.*)

LE POÈTE, *en dehors*.

> Je purgerai le sol de toute cette engeance !
> 30 Et, jusque dans la mort poursuivant ma vengeance,
> Je ne reculerai, ni devant son tombeau ! . . .

Jeanne paraît. La voix s'éteint à mesure que la porte se ferme.

LA DUCHESSE, *à part*. La sous-préfète !

SCÈNE III

LES MÊMES, JEANNE

JEANNE, *s'arrêtant interdite en les voyant.* Ah ! . . .

LA DUCHESSE. Venez donc ! venez donc ! Eh bien, vous en avez déjà assez, il paraît?

JEANNE. Moi, non, madame la duchesse . . . Mais, c'est que . . . 5

LA DUCHESSE. C'est que vous n'aimez pas la tragédie, je vois cela . . .

JEANNE. Si . . . oh ! si.

LA DUCHESSE. Oh ! il ne faut pas vous en défendre, il y en a encore plus de dix-sept comme vous. (*A part.*) Qu'est-ce 10 qu'elle a donc? (*Haut.*) Alors, c'est mauvais, hein?

JEANNE. Oh ! au contraire.

LA DUCHESSE. Au contraire, comme quand on vous marche sur le pied? [1]

JEANNE. Non ! non ! . . . Il y a même des choses . . . des . . . 15 Il y a un joli vers !

LA DUCHESSE. Déjà ! [2]

JEANNE. Et qu'on a fort applaudi. (*A part.*) Comment faire?

LA DUCHESSE. Ah ! ah ! . . . Et qu'est-ce qu'il dit, ce joli 20 vers?

JEANNE. « L'honneur est comme un dieu . . . C'est un dieu qui . . . » je craindrais de le déflorer en le citant mal.

LA DUCHESSE. Eh ! mais, gardez-le, mon enfant, gardez-le ! Et vous vous en allez, malgré ce joli vers? 25

JEANNE. Mon Dieu ! c'est à mon grand regret. (*A part.*) Que dire? . . . (*Prise par une idée.*) Ah ! . . . (*Haut.*) Mais

---

[1] **Au contraire, comme . . . pied**: 'Not at all, as we say when some one steps on our toes (and asks if it hurt).'

[2] **Déjà**: the duchess ironically indicates her surprise at the *one* pretty verse, when so much has been read by the poet.

je ne sais si c'est la fatigue du déplacement . . . ou la chaleur . . . je . . . je ne me sens pas très bien !

LA DUCHESSE. Ah !

JEANNE. Oui, j'ai les yeux . . . Je n'y vois plus clair. Je
5 crois . . . je . . . j'ai la migraine !

MADAME DE CÉRAN, LA DUCHESSE, ET ROGER, *se levant.* La migraine ?

JEANNE, *effrayée, à part.* Qu'est-ce qu'ils ont donc ?

LA DUCHESSE, *après un silence.* Eh bien, ça ne m'étonne pas,
10 c'est dans l'air.

JEANNE. Ah ! vous aussi ?

LA DUCHESSE. Moi ! Oh ! . . . ce n'est plus de mon âge, ça . . . Ah ! vous avez la . . . Eh bien, mais, il faut soigner cela, mon enfant.

15 JEANNE. Oui, je vais marcher un peu . . . Vous me pardonnez . . . n'est-ce pas ?

LA DUCHESSE. Allez donc . . . Allez donc !

JEANNE, *se tenant la tête et s'en allant.* Cela me fait un mal . . . Ah ! (*A part.*) Ça y est ! . . . Ma foi, Paul saura bien
20 s'en tirer. (*Elle sort par la porte du jardin.*)

SCÈNE IV

MADAME DE CÉRAN, LA DUCHESSE, ROGER

LA DUCHESSE, *à Roger.* Ah ! ah ! tu crois, hein ? Dis donc, tu crois !

ROGER. Eh ! ma tante, ceci n'est qu'un hasard !

LA DUCHESSE. Un hasard, c'est possible ; mais tu vois
25 comme on peut faire fausse route, et qu'il ne faut jamais . . . (*La porte du salon s'ouvre ; même effet que la première fois.*) Ah ! ah ! cette fois !

VOIX *du poète* DES MILLETS, *qu'on entend par la porte entr'ouverte et qui diminue à mesure que la porte se referme.*

30 Et quand ils seraient cent, et quand ils seraient mille . . .

LA DUCHESSE. A-t-il une voix, ce vieux Tyrtée !

LA VOIX.

J'irais seul, et bravant leur colère inutile,
Leur demander raison de cette lâcheté . . .

Lucy paraît.

MADAME DE CÉRAN *et* ROGER. Lucy ! 5

SCÈNE V

LES MÊMES, LUCY, *allant à la porte du jardin.*

LA DUCHESSE. Comment, Lucy, vous vous en allez !

LUCY, *s'arrêtant.* Pardon ! je ne vous avais pas vue.

LA DUCHESSE. Il y a pourtant un joli vers, il paraît :

« L'honneur est le dieu ! . . . »

LUCY, *reprenant son chemin.* 10

« Comme un dieu qui . . . »

LA DUCHESSE. Oui, enfin, c'est bien le même. (*Dix heures sonnent. Lucy arrive à la porte.*) Et vous vous en allez, néanmoins ?

LUCY, *se retournant.* Oui, j'ai besoin de prendre l'air . . . J'ai la migraine ! (*Elle sort.*) 15

TOUS LES TROIS, *s'asseyant.* Ah ! . . .

SCÈNE VI

LA DUCHESSE, MADAME DE CÉRAN, ROGER

LA DUCHESSE. Ah ! par exemple, voilà qui devient curieux !

MADAME DE CÉRAN. C'est encore un hasard !

LA DUCHESSE. Encore un ! . . . Ah ! mais non, cette fois ! Comment ? Toutes, alors, toutes ! . . . excepté Suzanne ! . . . 20 Alons donc ! Il y a quelque chose ! . . . Elle ne viendra pas. Je parierais qu'elle ne viendra pas. (*La porte du salon s'ouvre brusquement, laissant échapper un éclat de voix tragique, mais rapide et vague ; et Suzanne entre précipitamment comme si elle voulait rejoindre quelqu'un.*) La voilà ! 25

SCÈNE VII

LES MÊMES, SUZANNE

MADAME DE CÉRAN, *se levant.* Vous quittez le salon, Mademoiselle?

SUZANNE, *voulant s'échapper.* Oui, ma cousine!

MADAME DE CÉRAN. Restez!

5 SUZANNE. Mais, ma cousine . . .

MADAME DE CÉRAN. Restez . . . et asseyez-vous!

SUZANNE, *se laissant tomber sur un tabouret de piano, sur lequel elle tourne à chaque réplique nouvelle du côté de la personne qui lui parle.* Voilà.

10 MADAME DE CÉRAN. Et pourquoi quittez-vous le salon, je vous prie?

SUZANNE. Mais, parce que ça m'ennuie ce qu'il récite là-dedans, le vieux monsieur.

ROGER. Est-ce bien la raison?

15 SUZANNE. Je sors, parce que Lucy est sortie, s'il vous en faut une autre?

MADAME DE CÉRAN. Miss Watson, Mademoiselle . . .

SUZANNE. Oh! bien entendu! C'est la perfection! l'idéal, l'oiseau rare, miss Watson! Elle peut tout faire . . . tandis 20 que moi! . . .

ROGER. Tandis que vous, Suzanne . . .

MADAME DE CÉRAN. Ah! laisse-moi lui parler! Tandis que vous, Mademoiselle, vous courez les chemins, seule . . .

SUZANNE. Comme Lucy!

25 MADAME DE CÉRAN. Vous vous habillez de la façon la plus extravagante . . .

SUZANNE. Comme Lucy!

MADAME DE CÉRAN. Vous accaparez monsieur Bellac, vous affectez de lui parler . . .

30 SUZANNE. Comme Lucy! Est-ce qu'elle ne lui parle pas, elle, (*Se tournant vers Roger.*) et à monsieur aussi?

MADAME DE CÉRAN. Oh ! mais en secret ! Vous me comprenez parfaitement.

SUZANNE. Oh ! pour des secrets, on n'a pas besoin de se parler . . . on s'écrit . . . (*Regardant Roger et à mi-voix.*) en dissimulant son écriture ! 5

MADAME DE CÉRAN. Hein !

ROGER, *bas, à la duchesse.* Ma tante !

LA DUCHESSE, *bas.* Chut !

MADAME DE CÉRAN. Enfin ! . . .

SUZANNE. Enfin, Lucy parle à qui elle veut ; Lucy sort quand 10 elle veut ; Lucy s'habille comme elle veut. Je veux faire ce que fait Lucy, puisqu'on l'aime tant, elle !

MADAME DE CÉRAN. Et savez-vous pourquoi on l'aime, Mademoiselle ? C'est que, malgré une indépendance d'allures, conséquence de sa nationalité, elle est réservée, sérieuse, instruite . . . 15

SUZANNE, *se levant.* Eh bien ! et moi ? Je n'ai donc pas été tout ça, moi ? Oui, pendant six mois, jusqu'aujourd'hui, jusqu'à ce soir, cinq heures je m'appliquais, je me tenais à quatre, et j'étudiais, et autant qu'elle ! et j'en savais aussi long qu'elle ! Et l'objectif et le subjectif et tout cela ! Eh bien ! à quoi ça 20 m'a-t-il servi ? Est-ce qu'on m'aime mieux ? Est-ce qu'on ne me traite pas toujours en petite fille ? Et tout le monde, oui, tout le monde ! . . . (*Regardant Roger de côté.*) Qui est-ce qui fait attention à moi, seulement ? Suzanne ! ah ! Suzanne ! Est-ce que ça compte, ça, Suzanne ! Et tout ça parce que je 25 ne suis pas une vieille Anglaise !

ROGER. Suzanne !

SUZANNE. Oui, défendez-la, vous ! Oh ! je sais bien comment il faut être pour vous plaire . . . allez ! (*Prenant le binocle de la duchesse et le mettant sur son nez.*) Esthétique ! 30 Schopenhauer ! Le moi ! Le non-moi ! Et cætera ! . . . gnan ! . . . gnan ! . . . gnan ! . . .

MADAME DE CÉRAN. Faites-nous grâce de vos gamineries, Mademoiselle !

SUZANNE, *faisant une révérence.* Merci, ma cousine !

MADAME DE CÉRAN. Oui, de vos gamineries ! Et les sottises que vous faites . . .

SUZANNE. Puisque je ne suis qu'une gamine, ce n'est pas
5 étonnant que je fasse des sottises. (*S'animant.*) Eh bien ! oui, je fais des sottises ! et je le fais exprès, et j'en ferai encore !

MADAME DE CÉRAN. Plus chez moi, je vous le garantis.

SUZANNE. Oui, je suis sortie avec monsieur Bellac ; oui, j'ai parlé bas à monsieur Bellac ! oui, j'ai un secret avec monsieur
10 Bellac !

ROGER. Vous osez ! . . .

SUZANNE. Et il est plus savant que vous ! Et il est meilleur que vous ! Et je l'aime mieux que vous ! Oui, je l'aime, là ! Je l'aime !

15 MADAME DE CÉRAN. Je veux croire que vous ne savez pas la gravité . . .

SUZANNE. Si ! si ! Je sais la gravité ! si ! . . . (*Retenant ses larmes.*) Mais je suis à charge à tout le monde ici ! Je le sais bien ; je ne veux plus rester ; je veux m'en aller ! Personne
20 ne m'aime ici, personne !

ROGER, *très agité.* Pourquoi dites-vous cela, Suzanne ? Ce n'est pas bien ! tout le monde ici, au contraire . . . et moi . . .

SUZANNE, *se levant furieuse.* Vous !

ROGER. Oui, moi ! et je vous jure . . .

25 SUZANNE. Vous ? ah ! tenez ! . . . Laissez-moi, vous ! je vous déteste ! je ne veux plus vous voir ! jamais ! . . . Entendez-vous ? (*Elle va vers la porte du jardin.*)

ROGER. Suzanne ! mais, Suzanne ! Où donc allez-vous ?

SUZANNE. Où je vais ? Je vais me promener. Je vais où
30 je veux, d'abord !

ROGER. Pourquoi, maintenant ? Pourquoi sortez-vous ?

SUZANNE. Pourquoi ? (*Elle descend vers lui.*) Pourquoi ? (*Dans les yeux.*) J'ai la migraine ! ! ! (*Tous se lèvent. Suzanne sort par la porte du jardin.*)

SCÈNE VIII

ROGER, LA DUCHESSE, MADAME DE CÉRAN

ROGER, *très agité.* Eh bien ! ma tante, est-ce clair maintenant ?

LA DUCHESSE, *se levant.* De moins en moins !

ROGER. C'est bien, je vais le voir !

MADAME DE CÉRAN. Roger ! où vas-tu donc ? 5

ROGER. Où je vais ? mais, faire ce que dit ma tante, savoir où ils en sont ! et je vous jure que si c'est vrai . . . si cet homme a osé ! . . .

MADAME DE CÉRAN. Si c'est vrai ! . . . moi, je la chasse !

ROGER. Eh bien ! si c'est vrai . . . moi, je le tue ! (*Il sort* 10 *par la porte du jardin.*)

LA DUCHESSE. Et si c'est vrai, moi, je les marie ! Seulement, ce n'est pas vrai. . . . Enfin, nous allons voir ; viens ! (*Elle veut l'entraîner.—On entend applaudir très fort dans le salon. Bruit de chaises et de conversations.*) 15

MADAME DE CÉRAN, *hésitant.* Mais ! . . .

LA DUCHESSE. Hein ? Quoi ? Encore un joli vers ! Non, c'est la fin de l'acte ! Vite ! avant qu'ils n'arrivent !

MADAME DE CÉRAN. Mais, mes invités ?

LA DUCHESSE. Eh ! tes invités ? Ils se rendormiront bien 20 sans toi ! viens, viens ! (*Elles sortent. La porte du fond s'ouvre et laisse voir quelques personnes par groupes, Des Millets très entouré.*)

VOIX DIVERSES. Très beau ! Grand art ! très élevé !

PAUL, *sur la porte du fond.* Charmant, cet acte ! N'est-ce 25 pas, Général ?

LE GÉNÉRAL, *en bâillant bruyamment.* Charmant ! encore quatre ! (*Paul s'esquive adroitement, gagne la porte du jardin et disparaît. La toile tombe.*)

ACTE TROISIÈME

Grande serre-salon éclairée au gaz. Pièce d'eau et jet d'eau, meubles, sièges, touffes d'arbustes et massifs de plantes, derrière lesquels on peut aisément se couler et se cacher.

SCÈNE PREMIÈRE

LA DUCHESSE, MADAME DE CÉRAN. *Elles entrent par le fond à droite, hésitent, regardent d'abord et à voix basse*

LA DUCHESSE. Personne?

MADAME DE CÉRAN. Personne.

LA DUCHESSE. Bon! (*Elle descend en scène et s'arrêtant.*) Trois migraines!

5 MADAME DE CÉRAN. Il est pourtant inouï que je sois forcée de laisser ainsi ce poète . . .

LA DUCHESSE. Ah! bien, ton poète, il lit ses vers! Un poète, vois-tu, pourvu que ça lise ses vers! . . .

MADAME DE CÉRAN. Mais l'emportement de Roger m'a 10 effrayée! Jamais je ne l'ai vu ainsi, jamais! Qu'est-ce que vous faites donc là, ma tante?

LA DUCHESSE. J'arrête le jet d'eau, tu vois bien!

MADAME DE CÉRAN. Pourquoi?

LA DUCHESSE. C'est pour mieux entendre, mon enfant![1]

15 MADAME DE CÉRAN. Il est au jardin, je ne sais où . . . qui la suit, qui la guette . . . Que va-t-il arriver? Ah! petite malheureuse! . . . Comment, Duchesse vous éteignez le gaz?

---

[1] **C'est . . . entendre, mon enfant:** the reply of the wolf to Little Red Riding Hood's exclamation: "Ma mère-grand, que vous avez de grandes oreilles!"

LA DUCHESSE. Non, je le baisse.

MADAME DE CÉRAN. Mais pourquoi?

LA DUCHESSE. Mais pour mieux voir, mon enfant![1]

MADAME DE CÉRAN. Pour? . . .

LA DUCHESSE. Dame! . . . moins on nous verra, mieux nous verrons . . . Trois migraines! . . . Et un seul rendez-vous! y comprends-tu quelque chose, toi? 5

MADAME DE CÉRAN. Ce que je ne comprends pas, moi, c'est que M. Bellac . . .

LA DUCHESSE. Et moi c'est que Suzanne . . . 10

MADAME DE CÉRAN. Oh! elle . . .

LA DUCHESSE. Elle? Enfin nous allons voir! Ils peuvent venir maintenant, tout est prêt.

MADAME DE CÉRAN. Si Roger les trouve ici . . . ensemble, il est capable . . . 15

LA DUCHESSE. Bah! . . . bah! il faut voir . . . il faut voir!

MADAME DE CÉRAN. Mais . . .

LA DUCHESSE. Chut! entends-tu?

MADAME DE CÉRAN. Oui.

LA DUCHESSE, *poussant madame de Céran vers le massif de droite, au premier plan.* Il était temps! Viens! 20

MADAME DE CÉRAN. Comment, vous voulez écouter?

LA DUCHESSE, *cachée.* Dame! pour entendre, il n'y a encore que cela, tu sais? . . . Tiens, dans ce coin-là, nous serons comme des rois de féerie. Nous sortirons quand il le faudra, sois tranquille. On est entré? 25

MADAME DE CÉRAN, *cachée et regardant à travers les branches.* Oui.

LA DUCHESSE. Lequel des deux?

MADAME DE CÉRAN. C'est elle . . . 30

---

[1] **Mais . . . voir, mon enfant**: again from the "Petit Chaperon Rouge": —

— Ma mère-grand, que vous avez de grands yeux!
— C'est pour mieux voir, mon enfant.

LA DUCHESSE. Suzanne?

MADAME DE CÉRAN. Oui! (*Avec étonnement.*) Non!

LA DUCHESSE. Comment, non?

MADAME DE CÉRAN. Non! Pas décolletée ... C'est une
5 autre!

LA DUCHESSE. Une autre? ... Qui?

MADAME DE CÉRAN. Je ne distingue pas.

JEANNE. Mais viens donc, Paul!

MADAME DE CÉRAN. La sous-préfète!

10 LA DUCHESSE. Encore!

SCÈNE II

LA DUCHESSE, MADAME DE CÉRAN, *cachées au premier plan;* JEANNE, *puis* PAUL, *entrant par le fond à droite*

JEANNE. Qu'est-ce que tu fais donc à cette porte, enfin?

PAUL, *dans la coulisse, à droite.* La prudence étant la mère de la sûreté, je nous mets prudemment en sûreté!

JEANNE. Comment?

15 PAUL. Comme ça. ... (*Bruit de porte qui crie.*)

JEANNE, *effrayée.* Hein?

PAUL, *entrant.* Très réussi!

JEANNE. Qu'est-ce que c'est que cela?

PAUL. Ça! c'est un indique-fuite que je viens d'installer ...
20 Oui, un morceau de bois ... dans le gond de la porte. De cette façon, si quelqu'un, je ne dis pas quelque amoureux comme nous, ceci est invraisemblable dans cette enceinte, mais quelque évadé de tragédie se réfugiait de ce côté, par impossible ... plus de danger! Il pousse la porte, elle pousse un cri, et
25 nous, par l'autre porte ... Frtt! ... hein? Est-ce assez combiné? Ah! nous autres hommes d'État! ... Et maintenant, Madame, que nous sommes à l'abri des regards indiscrets, je dépouille l'homme public, l'homme privé reparaît, et, donnant l'essor à des sentiments trop longtemps contenus, je vous
30 permets de me tutoyer.

JEANNE. A la bonne heure, tu es gentil, ici !

PAUL. Je suis gentil ici, parce que je suis tranquille ici ; mais, s'embrasser dans les corridors, comme tantôt, tu sais ? . . . quand tu es venue m'aider à défaire mes malles.

LA DUCHESSE, *à part.* C'étaient eux ! 5

PAUL. Ou comme ce soir, dans le jardin . . .

LA DUCHESSE, *à part.* Encore eux !

PAUL. Plus jamais cela ! Trop imprudent pour la maison . . . hein ? Quelle maison ! t'avais-je trompée ? Faut-il avoir envie d'être préfet pour venir s'ennuyer dans des bâilloirs 10 pareils !

MADAME DE CÉRAN. Hein ?

LA DUCHESSE, *à madame de Céran.* Écoute ça ! Écoute ça !

JEANNE, *le faisant asseoir près d'elle.* Viens là . . .

PAUL, *s'assied, se relève et marchant avec agitation.* Non, 15 mais quelle maison ! Et les maîtres, et les invités, et tout le monde ! Et madame Arriégo ! Et le poète ! Et la marquise ! Et cette Anglaise en glace ! Et ce Roger en bois ! Il n'y a que la duchesse qui ait le sens commun . . .

LA DUCHESSE, *à madame de Céran:* Pour moi, ça ! 20

PAUL, *avec conviction.* Mais le reste, ah !

LA DUCHESSE. Ça, c'est pour toi !

JEANNE. Mais viens donc là !

PAUL, *s'assied et se relève, même jeu.* Et la lecture, et la littérature ! et la candidature ! Ah ! la candidature Revel ! Un 25 vieux malin, figure-toi, qui meurt . . . tous les soirs et qui ressuscite tous les matins avec une place de plus ! (*Il va pour s'asseoir et reprend.*) Et Saint-Réault ! Ah ! Saint-Réault ! Et les Ramas-Ravanas et tous les fouchtras de Bouddha !

MADAME DE CÉRAN, *indignée.* Oh ! 30

LA DUCHESSE, *riant.* Il est drôle !

PAUL. Et l'autre, dis donc, le Bellac des dames, avec son amour platonique !

JEANNE, *baissant les yeux.* Il est bête !

PAUL, *s'asseyant.* Tu trouves, toi? . . . (*Se relevant avec fureur.*) Et la tragédie . . . Oh ! la tragédie ! . . .

JEANNE. Mais, Paul, qu'as-tu?

PAUL. Et ce vieux Philippe-Auguste avec son joli vers ! Mais 5 tout le monde en a fait, des jolis vers . . . Ce n'est pas une raison pour les lire. Moi aussi j'en ai fait . . .

JEANNE. Toi?

PAUL. Oui, moi ! Quand j'étais étudiant et pas riche, j'en ai même vendu !

10 JEANNE. A un éditeur?

PAUL. Non ; à un dentiste ! La Plombéïde ou l'Art de plomber les dents. Poème, trois cents vers ! . . . Trente francs . . . Écoute-moi ça . . .

JEANNE. Oh ! non, par exemple !

15 PAUL.

« Muse, s'il est un mal, parmi les maux divers,
Que le ciel en courroux épand sur l'univers,
Dont le plus justement le bon goût s'effarouche,
C'est celui dont le siège est placé dans la bouche ! . . . »[1]

20 JEANNE, *voulant l'arrêter.* Voyons, Paul ! . . .

PAUL.

« Ah ! qu'arracher sa dent semble alors plein d'appas !
Imprudent ! Guéris-la, mais ne l'arrache pas !
Ah ! n'arrachez jamais, même une dent qui tombe ![2]
Qui sait si, quelque jour, l'homme adroit qui la plombe
25 N'aura pas conservé, soit en haut, soit en bas,
Cet attrait au sourire et cette aide au repas. »

---

[1] **bouche**: according to Jules Claretie (Édouard Pailleron, Quantin, Paris, 1883) this poem is a product of Pailleron's pen under conditions similar to those here ascribed to Paul Raymond. At the time, Pailleron was a clerk in a Parisian notary's office with a salary of thirty francs a month. Claretie adds a few more lines, as follows: —

« Pour l'être infortuné que tient ce mal affreux,
Les plus doux passe-temps deviennent douloureux :
Impossible qu'il mange, imprudent qu'il sourie !
Pour lui tout est danger — j'ai nommé la carie !
Ah ! qu'arracher sa dent, *etc.* »

[2] **Ah ! n'arrachez jamais, même une dent qui tombe**: Probably an echo of Victor Hugo's poem: ***Ah ! n'insultez jamais une femme qui tombe.***

LA DUCHESSE, *riant.* Ah ! ah ! il est amusant !

JEANNE. Quel gamin tu fais ! Qui croirait cela à te voir au salon ! (*L'imitant.*) « Mon Dieu, monsieur le sénateur, le flot démocratique . . . les traités de 1815 . . . » Ah ! ah ! ah !

PAUL. Eh bien ! et toi, dis donc? . . . C'est toi qui vas bien, avec la maîtresse de la maison ! 5

MADAME DE CÉRAN. Hein?

PAUL. Mes compliments !

JEANNE. Mais, mon ami, je fais ce que tu m'as recommandé. 10

PAUL, *l'imitant.* « Je fais ce que tu m'as recommandé ! » Ah ! sainte-nitouche, avec sa petite voix ! Ah ! tu lui en fournis à la comtesse : du Joubert, et du latin, et du Tocqueville ! Et de ton cru encore !

MADAME DE CÉRAN. Comment de son cru ! 15

LA DUCHESSE. Ça me raccommode avec elle, ça.

JEANNE. Ah ! Je n'ai pas de remords, va ! . . . Une femme qui nous loge aux deux bouts de la maison !

MADAME DE CÉRAN, *se levant.* Si je la priais d'en sortir !

LA DUCHESSE. Tais-toi donc. 20

JEANNE. Et c'est de la méchanceté ! . . . Si ! si . . . J'en suis sûre . . . Une femme sait bien, n'est-ce pas? que des nouveaux mariés . . . ont toujours quelque chose à se dire, enfin.

PAUL, *tendrement.* Oui, toujours.

JEANNE. Toujours, bien vrai? . . . Toujours comme ça? 25

PAUL. As-tu une jolie voix ! Je l'écoutais tout à l'heure . . . en parlant des traités de 1815. Fine, douce, enveloppante . . . Ah ! la voix, c'est la musique du cœur, comme dit M. de Tocqueville.

JEANNE. Ah ! Paul ! . . . Je ne veux pas que tu ries des choses sérieuses. 30

PAUL. Ah ! bien, laisse-moi être un peu gai, je t'en prie ; je suis si heureux ici ! — Mon Dieu ! que ça m'est donc égal de ne pas être préfet à Carcassonne, dans ce moment-ci !

JEANNE. C'est toujours que cela m'est égal à moi, Monsieur : voilà la différence !

PAUL. Chère petite femme ! (*Il lui baise les mains.*)

MADAME DE CÉRAN, *bas à la duchesse.* Mais c'est d'une 5 inconvenance . . .

LA DUCHESSE, *de même.* Je ne déteste pas ça, moi !

PAUL. Ah ! c'est que j'ai un fort arriéré à combler, tu comprends, sans compter les avances à prendre. Quand serons-nous libres, à présent ? Chère enfant, tu ne sais pas combien je 10 t'adore.

JEANNE. Si, je le sais . . . par moi . . .

PAUL. Ma Jeanne.

JEANNE. Ah ! Paul ! Toujours comme ça, répète-le encore, toujours !

15 PAUL, *très près d'elle et tendrement.* Toujours !

MADAME DE CÉRAN, *bas à la duchesse.* Mais, Duchesse !

LA DUCHESSE, *de même.* Ah ! ils sont mariés ! (*La porte crie. Paul et Jeanne se lèvent, effrayés.*)

PAUL ET JEANNE. Hein ?

20 JEANNE. On vient !

PAUL. Fuyons ! comme on dit dans les tragédies.

JEANNE. Vite, vite !

PAUL. Tu vois, hein ? mes précautions.

JEANNE. Déjà ! Quel malheur ! (*Ils s'échappent par le fond* 25 *à gauche.*)

MADAME DE CÉRAN, *passant à gauche.* Eh bien, c'est heureux qu'on les ait interrompus.

LA DUCHESSE, *la suivant.* Ma foi, je le regrette ! Oui, mais c'est fini de rire, maintenant.

SCÈNE III

MADAME DE CÉRAN, LA DUCHESSE, *cachées à gauche*, BELLAC, *entrant par le fond à droite*

BELLAC. Cette porte fait un bruit!

MADAM DE CÉRAN, *bas à la duchesse*. Bellac!

LA DUCHESSE, *de même*. Bellac.

BELLAC. Mais on ne voit pas clair, ici.

MADAME DE CÉRAN. C'était vrai! Vous voyez, tout est vrai. 5

LA DUCHESSE. Tout! non! Il n'y en a encore que la moitié.

MADAME DE CÉRAN. Ah! l'autre n'est pas loin, allez!

LA DUCHESSE. En tous cas, ça ne peut être qu'un coup de tête, une imprudence de pensionnaire. Il n'est pas possible. (*La porte crie.*) La voilà! ... Ah! dame, le cœur me bat ... 10 Dans ces choses-là, on a beau être sûr, on n'est jamais certain ... La vois-tu?

MADAME DE CÉRAN, *regardant*. Ah! c'est elle! Et tout à l'heure Roger, qui l'épie, va venir, lui aussi ... Si nous nous montrions, Duchesse? 15

LA DUCHESSE. Non ... non ... Maintenant, je veux savoir où ils en sont; je veux en avoir le cœur net.

MADAME DE CÉRAN, *regardant toujours*. Je meurs d'inquiétude ... Décolletée ... C'est cela, c'est bien elle ...

LA DUCHESSE. Ah! petite coquine! Laisse-moi voir ... 20 (*Elle regarde à travers les feuilles, puis après un moment.*) Hein?

MADAME DE CÉRAN. Quoi donc?

LA DUCHESSE. Regarde.

MADAME DE CÉRAN, *regardant*. Lucy! 25

LA DUCHESSE. Lucy.

MADAME DE CÉRAN. Qu'est-ce que cela veut dire?

LA DUCHESSE. Ah! je ne sais pas encore, mais j'aime déjà mieux cela.

SCENE IV

MADAME DE CÉRAN, LA DUCHESSE, *cachées au premier plan à gauche*, BELLAC ET LUCY *se cherchant à droite*, PAUL, *rentrant par le fond, à gauche, suivi de* JEANNE *qui le retient*

JEANNE, *bas à Paul.* Non ! non ! Paul ! non !

PAUL, *de même.* Si . . . si ! . . . laisse un instant, pour voir ! Ici, à cette heure-ci, ce ne peut être que des amoureux, je te dis. Dans cette maison ! . . . Non ! . . . Ce serait trop drôle.

5 JEANNE. Prends garde.

PAUL. Chut !

LUCY. Vous êtes là, monsieur Bellac ?

PAUL. L'Anglaise !

BELLAC. Oui, Mademoiselle !

10 PAUL. Et le professeur . . . L'Anglaise et le professeur : fable ! Quand je te disais ! Une intrigue ! . . . Un rendez-vous ! Ah ! mais c'est moi qui ne m'en vais plus, par exemple !

JEANNE. Comment ?

PAUL. Après cela si tu veux t'en aller, toi ?

15 JEANNE. Ah ! mais non ! (*Ils se cachent derrière un massif au fond à gauche.*)

LUCY. Vous êtes de ce côté !

BELLAC. Par ici ! . . . Je vous demande pardon . . . La serre est habituellement mieux éclairée . . . Je ne sais pourquoi, ce

20 soir . . . (*Il marche vers elle.*)

MADAME DE CÉRAN, *bas à la duchesse.* Lucy ! . . . Mais, alors, Suzanne ? . . . Je n'y suis plus !

LA DUCHESSE, *de même.* Attends un peu ; j'ai idée que nous allons y être.

25 LUCY. Mais, monsieur Bellac, que signifie cette sorte de rendez-vous ? Et votre lettre de ce matin ? . . . Pourquoi m'écrire ?

BELLAC. Mais, pour vous parler, chère miss Lucy. Est-ce donc la première fois que nous nous isolons, pour échanger nos pensées ?

PAUL, *pouffant de rire, bas à Jeanne.* Oh ! . . . échanger ! . . . Je ne savais pas que cela s'appelait comme ça.

BELLAC. Entouré comme je le suis ici, quel autre moyen avais-je de vous parler, à vous seule ?

LUCY. Quel autre ? Il fallait me donner le bras et sortir du salon avec moi, tout simplement. Je ne suis pas une jeune fille française, moi. 5

BELLAC. Mais, vous êtes en France.

LUCY. En France comme ailleurs, je fais ce que je veux ; je n'ai pas besoin de secret, et encore moins, de mystère. Vous déguisez votre écriture . . . Vous ne signez pas . . . Il n'est pas jusqu'à votre papier rose . . . Ah ! que vous êtes bien Français ! . . . 10

PAUL, *bas à Jeanne.* Né malin.[1]

BELLAC. Et que vous êtes bien, vous, la muse austère de la science, la Polymnie superbe ! la Piéride froide et fière . . . Asseyez-vous donc ! 15

LUCY. Non ! non ! . . . Et voyez comme toutes vos précautions ont tourné contre nous . . . J'ai perdu cette lettre.

LA DUCHESSE, *un peu haut.* J'y suis ! (*Mouvement de Lucy vers la gauche.*) 20

BELLAC. Quoi ?

LUCY. Vous n'avez pas entendu ?

BELLAC. Non ! Ah ! vous avez perdu ? . . .

LUCY. Et que voulez-vous que pense celui ou celle qui l'aura trouvée ? 25

LA DUCHESSE, *bas à madame de Céran.* Y es-tu, maintenant ?

LUCY. Il est vrai qu'il n'y avait plus d'enveloppe . . . partant plus d'adresse . . . 30

BELLAC. Ni mon écriture, ni ma signature . . . Vous voyez donc que j'ai bien fait. En tous cas, j'ai cru bien faire ; chère

[1] **Né malin** : an echo of Boileau's verse (*L'Art poetique*, Chant II, l. 182) : *Le Français, né malin forma le vaudeville.*

miss Lucy, pardonnez à votre professeur, à votre ami, et ... asseyez-vous, je vous en prie.

LUCY. Non ! dites-moi ce que vous aviez à me dire en si grand secret, et rentrons.

5 BELLAC, *la retenant.* Attendez ! ... Pourquoi n'êtes-vous pas venue à mon cours, aujourd'hui ?

LUCY. Parce que j'ai passé mon temps à chercher cette lettre, précisément. De quoi aviez-vous à me parler ?

BELLAC. Êtes-vous impatiente de me quitter ! (*Il lui donne* 10 *un paquet de papiers attachés avec un ruban rose.*) Tenez !

LUCY. Des épreuves !

BELLAC, *ému.* De mon livre.

LUCY, *émue aussi.* De votre ? ... Ah ! Bellac !

BELLAC. J'ai voulu que vous fussiez la seule à le connaître 15 avant tous, la seule !

LUCY, *lui prenant les mains avec effusion.* Ah ! mon ami ! mon ami !

PAUL, *retenant son rire.* Oh ! non, ce cadeau d'amour, pff ! ... (*Mouvement de Bellac vers la gauche.*)

20 LUCY. Qu'avez-vous ?

BELLAC. Non, rien ... J'avais cru ... Vous le lirez, ce livre où j'ai mis ma pensée, et vous nous trouverez en communion parfaite, j'en suis sûr ... sauf sur un point ... Oh ! celui-là !

LUCY. Lequel ?

25 BELLAC, *tendrement.* Est-il possible que vous ne croyiez pas à l'amour platonique, vous ?

LUCY. Moi ? Oh ! pas du tout.

BELLAC, *gracieusement.* Eh bien ! ... Et nous, cependant ?

LUCY, *simplement.* Nous, c'est de l'amitié.

30 BELLAC, *marivaudant.* Pardon ! c'est plus que de l'amitié et mieux que de l'amour !

LUCY. Alors, si c'est plus que l'un et mieux que l'autre, ce n'est ni l'un ni l'autre. Et maintenant, merci encore, merci mille fois ; mais rentrons, voulez-vous ? (*Elle va pour sortir.*)

BELLAC, *la retenant toujours.* Attendez !

LUCY. Non ! non ! rentrons.

PAUL, *à Jeanne.* Ça ne mord pas.

BELLAC, *la retenant.* Mais, attendez donc, de grâce ! Deux mots ! . . . Deux mots ! Éclairez-moi, ou éclairez-vous ! La question en vaut la peine. Voyons, Lucy ! 5

LUCY, *s'animant et passant à droite.* Voyons, Bellac ! Voyons, mon ami, votre amour platonique ! . . . Philosophiquement, mais cela ne se soutient pas !

BELLAC. Permettez, cet amour est une amitié . . . 10

LUCY. Si c'est l'amitié, ce n'est plus l'amour !

BELLAC. Mais, le concept est double !

LUCY. S'il est double, il n'est pas un !

BELLAC. Mais, il y a confusion ! (*Il s'assied.*)

LUCY. S'il y a confusion, il n'y a plus caractère ! Et je vais plus loin ! . . . (*Elle s'assied.*) 15

PAUL, *à Jeanne.* Ça a mordu !

LUCY. Je nie que la confusion soit possible entre l'amour, qui a l'individuation pour base, et l'amitié, forme de la sympathie, c'est-à-dire d'un fait, où le moi devient, en quelque sorte, le non-moi. Je nie absolument, oh ! mais absolument ! 20

LA DUCHESSE, *bas à madame de Céran.* J'ai bien souvent entendu parler d'amour, mais jamais comme cela.

BELLAC. Voyons, Lucy ! . . .

LUCY. Voyons, Bellac ! Oui ou non ? Le facteur principal . . . 25

BELLAC. Voyons, Lucy, un exemple. Supposons deux êtres quelconques — deux abstractions — deux entités — un homme quelconque — une femme quelconque, tous deux s'aimant, mais de l'amour vulgaire, physiologique, vous me comprenez ?

LUCY. Parfaitement ! 30

BELLAC. Je les suppose dans une situation comme celle-ci, seuls la nuit, ensemble, que va-t-il arriver ?

LA DUCHESSE, *à madame de Céran.* Je m'en doute, moi, et toi ?

BELLAC. Fatalement ! — suivez-moi bien ; — fatalement, il va se produire le phénomène que voici.

JEANNE, *à Paul.* Oh ! c'est amusant !

PAUL. Eh bien ! Madame ?

5 BELLAC. Tous deux, ou plus vraisemblablement, l'un des deux, le premier, l'homme . . .

PAUL, *à Jeanne.* L'entité mâle !

BELLAC. Se rapprochera de celle qu'il croit aimer . . . (*Il s'approche d'elle.*)

10 LUCY, *se reculant un peu.* Mais . . .

BELLAC, *la retenant doucement.* Non, non ! . . . Vous allez voir ! Ils plongeront leurs regards dans leurs regards ; ils mêleront leurs chevelures . . .

LUCY. Mais, monsieur Bellac . . .

15 BELLAC. Et alors ! . . . Et alors . . . il se passera en leur moi . . . indépendamment de leur moi lui-même, une suite non interrompue d'actes inconscients, qui, par une sorte de progrès, de *processus* lent, mais inéluctable, les jettera, si j'ose ainsi dire, à la fatalité d'un dénouement prévu où la volonté ne 20 sera pour rien, l'intelligence pour rien, l'âme pour rien !

LUCY. Permettez ! . . . ce processus . . .

BELLAC. Attendez, attendez ! . . . Supposons maintenant un autre couple et un autre amour, à la place de l'amour physiologique, l'amour psychologique, à la place d'un couple quel-25 conque, — deux exceptions : — vous me suivez toujours ?

LUCY. Oui.

BELLAC. Eux aussi, assis l'un près de l'autre, se rapprocheront l'un de l'autre.

LUCY, *s'éloignant encore.* Mais, alors, c'est la même chose !

30 BELLAC, *la retenant toujours.* Attendez donc ! Il y a une nuance. Laissez-moi vous faire voir la nuance. Eux aussi pourront plonger leurs yeux dans leurs yeux et mêler leurs chevelures . . .

LUCY. Mais enfin ? (*Elle se lève.*)

BELLAC, *la faisant rasseoir.* Seulement ! . . . Seulement ! . . . Ce n'est plus leur beauté qu'ils contemplent, c'est leur âme ; ce n'est plus leurs voix qu'ils entendent, c'est la palpitation même de leur pensée ! Et lorsque enfin, par un processus tout autre, quoique congénère, ils en seront arrivés, eux aussi, 5 à ce point obscur et troublé où l'être s'ignore lui-même, sorte d'engourdissement délicieux du vouloir qui paraît être à la fois le *summum* et le *terminus* des félicités humaines, ils ne se réveilleront pas sur la terre, eux, mais en plein ciel, car leur amour à eux plane bien par delà les nuages orageux des 10 passions communes dans le pur éther des idéalités sublimes ! (*Silence.*)

PAUL, *à Jeanne.* Il l'embrassera !

BELLAC. Lucy ! chère Lucy, me comprenez-vous ? Oh ! dites que vous me comprenez ! 15

LUCY, *troublée.* Mais ! . . . Il me semble que les deux concepts . . .

PAUL. Oh ! les concepts ! non, ils sont trop drôles !

LUCY, *toujours troublée.* Les deux concepts . . . sont identiques ! 20

PAUL. Oh ! identiques . . .

BELLAC, *avec passion.* Identiques ! . . . Oh ! Lucy, vous êtes cruelle ! . . . Identiques ! ! ! Mais songez donc qu'ici tout est subjectif !

PAUL. Subjectif ! Il faut que je fasse une folie ! 25

BELLAC, *tout à fait passionné.* Subjectif ! Lucy ! comprenez-moi bien !

LUCY, *tout à fait émue.* Mais, Bellac ! . . . subjectif ! . . .

JEANNE, *à Paul.* Il ne l'embrassera pas !

PAUL. Alors, c'est moi qui t'embrasse ! 30

JEANNE, *se défendant.* Paul ! Paul ! (*Bruit de baisers.*)

BELLAC, LUCY, *se levant effrayés.* Hein ?

LA DUCHESSE, *étonnée, se levant aussi.* Eh bien ! comment ! Ils s'embrassent ?

LUCY. Quelqu'un ! Quelqu'un est là !

BELLAC. Venez, venez ! prenez ma main !

LUCY. On nous écoutait ! Oh ! Bellac, je vous le disais bien.

BELLAC. Venez !

5 LUCY. Mais, je suis horriblement compromise ! (*Elle sort par le fond à gauche.*)

BELLAC, *la suivant.* Je réparerai, chère miss, je réparerai !

SCÈNE V

LA DUCHESSE, MADAME DE CÉRAN, *cachées.* JEANNE, PAUL, *sortant de leur cachette en riant*

PAUL. Ah ! l'amour platonique ! Ah ! ah ! ah !

LA DUCHESSE, *à part.* Raymond !

10 JEANNE. Et le moi, et le processus, et le terminus ! Ah ! ah ! ah !

LA DUCHESSE, *sortant à son tour de sa cachette, et à part.* Ah ! mes coquins ! . . . Attendez un peu ! (*Elle marche doucement vers eux.*)

15 PAUL. Hein? le joli Tartuffe, avec ses déclarations à deux fins et à échappement.[1] (*Imitant Bellac.*) « Mais, chère miss, le concept de l'amour est double.»

JEANNE, *imitant Lucy.* Mais, le facteur principal !

PAUL. Voyons, Lucy !

20 JEANNE. Voyons, Bellac !

PAUL. Mais, c'est une nuance ! Laissez-moi vous faire voir la nuance !

JEANNE. Mais, alors, c'est identique . . .

---

[1] **avec . . . à échappement**: *à échappement* (*fig. of horol.*), 'with an escapement,' *i. e.* (here) with an avenue of escape. Trans. (keeping the figure), 'and his declarations with two ends and duplex escapement.'

It has been justly said that, as in the case of Tartuffe, Bellac's declarations would not have been tolerated by the public but for the concealed listeners on the stage.

PAUL. Identique ! O cruelle . . . Songez donc qu'ici tout est subjectif !

JEANNE. Oh ! Bellac ! subjectif ! (*Bruit de baisers que la duchesse fait claquer sur sa main.*)

PAUL ET JEANNE, *se relevant, effrayés.* Hein? 5

JEANNE. Quelqu'un !

PAUL. Pincés !

JEANNE. On nous écoutait.

PAUL, *l'entraînant.* Viens, Viens !

JEANNE, *en s'en allant.* Ah ! Paul, peut-être aussi dans le 10 commencement . . .

PAUL. Je réparerai, cher ange, je réparerai ! . . . (*Ils disparaissent par la gauche.*)

SCENE VI

LA DUCHESSE, MADAME DE CÉRAN

LA DUCHESSE, *riant.* Ah ! ah ! ah ! mes drôles . . . Ils sont gentils . . . mais ils méritaient une leçon . . . Ah ! ah ! . . . Je 15 peux rire . . . maintenant . . . Ah ! ah ! . . . dis donc, Lucy ! . . . Elle va bien, ta bru ! Quand je te disais ! . . . Eh bien ! y es-tu, à présent ! Suzanne . . . ce rendez-vous . . . cette lettre? . . .

MADAME DE CÉRAN. Oui, c'était la lettre de Bellac à Lucy que Suzanne avait trouvée ! 20

LA DUCHESSE. Et qu'elle prenait pour la lettre de Roger à Lucy. C'est pour cela qu'elle était si furieuse, la jalouse !

MADAME DE CÉRAN. Jalouse? Duchesse, vous ne voulez pas dire qu'elle aime mon fils?

LA DUCHESSE. Ah çà ! est-ce que tu penserais encore à lui 25 faire épouser l'autre, par hasard? . . . Eh bien ! et le processus?

MADAME DE CÉRAN. L'autre? . . . Non, certes . . . Mais Suzanne, jamais, ma tante, jamais !

LA DUCHESSE. Nous n'en sommes pas encore là, malheureusement . . . En attendant, va retrouver ta tragédie et ta can- 30

didature Revel. Va ! Moi je me charge de rattraper ton fils, et de lui faire rengainer son grand sabre. — Tout est bien qui finit bien[1] . . . Ouf ! Ah ! c'est égal, je suis plus tranquille ! Beaucoup de bruit pour pas grand'chose[1] . . . Mais c'est fini !
5 fini ! fini ! Allons-nous-en ! (*Elles vont pour sortir à gauche. La porte de droite crie.*)

TOUTES DEUX, *s'arrêtant.* Hein?

LA DUCHESSE. Encore ! — Ah çà ! mais, ta serre ! . . . C'est les marronniers du Figaro,[2] ta serre ! Ah ! bien, c'est joli !

10 MADAME DE CÉRAN. Mais qui ça peut-il être encore?

LA DUCHESSE. Qui? (*Prise d'une idée.*[3]) Ah ! (*A madame de Céran, la poussant vers la gauche.*) Rentre au salon, je te le dirai.

MADAME DE CÉRAN. Mais pourquoi ne pas rester? . . .

15 LA DUCHESSE, *même jeu.* Tu ne peux pas laisser éternellement tes invités?

MADAME DE CÉRAN, *cherchant à voir.* En effet, mais qui donc? . . .

LA DUCHESSE, *même jeu.* Puisque je te le dirai. Va vite,
20 avant qu'on ne soit là . . . Tu ne pourrais plus . . .

MADAME DE CÉRAN. C'est vrai ; d'ailleurs, je vais revenir pour le thé.

LA DUCHESSE. Pour le thé ! c'est cela. Va, va ! et vite, et vite ! (*Madame de Céran sort par la gauche.*)

---

[1] **tout . . .**: title of one of Shakespeare's plays, as also *Beaucoup de bruit pour pas grand'chose.* Both are proverbial in French as in English.

[2] **les marronniers du Figaro**: the reference is to a similar scene in the "Mariage de Figaro" by Pierre Augustin de Beaumarchais (1732–1789). By this passage, incorporated in the play, Pailleron forestalled the critics, who would certainly have charged him with plagiarism.

[3] **Prise d'une idée**: cf. p. 73, l. 27, where *par* is used. The use of *par* gives greater force to the expression. Compare the distinction in the use of *par* and *de*, after passive past participles, to indicate the agent, as enunciated in Larousse's encyclopedic dictionary (under *par*).

Notice such forms as *aimé de; traduit par; un poisson* ('fish') *pris par un pêcheur* ('fisherman').

SCÈNE VII

LA DUCHESSE, *puis* SUZANNE, *puis* ROGER

LA DUCHESSE. Qui ça peut-être? Mais Roger, qui épie Suzanne, ou Suzanne, qui épie Roger. (*Regardant à droite.*) Oui, oui, c'est bien lui. — C'est mon Bartholo . . . (*Regardant à gauche.*) Et ma jalouse, maintenant, qui croit Roger avec Lucy, et qui voudrait bien voir un peu ce qui se passe. C'est 5 cela. Troisième migraine. Mon compte y est ! . . . Ah ! si le hasard ne fait pas quelque chose avec cela, c'est un grand maladroit ! . . . (*Baissant doucement le gaz.*) Aidons-le un peu.

SUZANNE, *entrant en se cachant.* Je savais bien qu'en faisant 10 le tour de la serre, il finirait par y arriver. Je le gênais.

ROGER, *de même.* Elle a fait le tour de la serre ; elle y est. — Je l'ai vue entrer. Enfin ! Je vais donc savoir à quoi m'en tenir.

LA DUCHESSE. Ils jouent à cache-cache ! 15

SUZANNE, *écoutant.* Il paraît qu'elle est en retard, son Anglaise !

ROGER, *de même.* Ah çà ! Bellac n'est donc pas là? . . .

LA DUCHESSE. Ils n'en finiront pas . . . à moins que je ne m'en mêle . . . Pst ! 20

ROGER. Elle l'appelle ! . . . Ah ! si j'osais, je prendrais sa place, puisqu'il n'est pas là. Le voilà bien, le moyen de savoir où ils en sont.

LA DUCHESSE, *à part.* Allons donc ! . . . allons donc ! . . . Pst ! 25

ROGER. Ma foi, ça durera ce que ça pourra. . . . Puisqu'il ne vient pas, j'aurai toujours appris quelque chose . . . Pst !

LA DUCHESSE. Tiens !

SUZANNE, *à part.* Il me prend pour Lucy. . . . Oh ! que je voudrais savoir ce qu'il va lui dire. 30

ROGER, *à mi-voix.* C'est vous?

SUZANNE, *à mi-voix*. Oui ! . . . (*A part, résolument.*) Tant pis !

ROGER, *à part*. Elle me prend pour Bellac.

LA DUCHESSE. Oh ! bien . . . maintenant ! — Allez, mes en-
5 fants, allez ! . . . (*Elle disparaît derrière les massifs du fond, à gauche.*)

ROGER. Vous avez reçu ma lettre ?

SUZANNE, *à part, furieuse, lui parlant en face sans qu'il la voie ni l'entende*. Oui, je l'ai reçue, ta lettre ! . . . Oui, je l'ai
10 reçue ! et tu ne t'en doutes guère. (*Haut, doucement.*) Mais, sans cela, serais-je à votre rendez-vous ?

ROGER, *à part*. A votre ! . . . Eh bien ! est-ce assez clair, cette fois ? Ah ! malheureuse enfant ! . . . Enfin, nous allons voir. (*Haut.*) J'avais si peur que vous ne vinssiez pas . . .
15 ma chère.

SUZANNE, *à part*. Ma chère ! . . . Oh ! (*Haut.*) Vous m'avez pourtant bien vue sortir du salon tout à l'heure . . . mon cher.

ROGER, *à part*. Ils en sont au moins à la familiarité ! . . . Il n'y a pas à dire ! . . . Il faut absolument que je sache . . .
20 (*Haut.*) Pourquoi vous tenez-vous si loin de moi ? (*Il marche vers elle.*)

SUZANNE, *à part*. Mais il va voir que je suis plus petite que Lucy. (*Elle s'assied.*) Ah ! comme ça . . .

ROGER. Ne voulez-vous pas que j'aille m'asseoir auprès de
25 vous ?

SUZANNE. Je veux bien.

ROGER, *à part, allant vers elle*. Oh ! elle veut bien ! Ce qui m'étonne, c'est qu'elle me prenne pour Bellac ; je n'ai pourtant ni sa voix, ni . . . Enfin, ça durera ce que ça pourra. — Pro-
30 fitons-en. — (*Il s'assied auprès d'elle en lui tournant le dos, et haut.*) Que vous êtes bonne d'être venue ! . . . Vous m'aimez donc un peu, ma chère ?

SUZANNE, *qui lui tourne aussi le dos*. Mais oui, mon cher.

ROGER, *se levant, à part*. Elle l'aime ! . . . Oh ! le misérable !

SUZANNE. Qu'est-ce qu'il a donc?

ROGER, *revenant s'asseoir près d'elle.* Eh bien! alors, laissez-moi donc être auprès de vous comme les autres fois. (*Il lui prend les mains.*)

SUZANNE, *à part, indignée.* Il lui prend la main! 5

ROGER, *à part, indigné.* Elle se laisse parfaitement prendre les mains . . . C'est épouvantable!

SUZANNE, *de même.* Oh!

ROGER, *haut.* Vous tremblez!

SUZANNE. C'est . . . c'est vous qui tremblez. 10

ROGER. Non, non, c'est vous! Est-ce que . . . (*A part.*) Nous allons voir . . . tant pis! . . . (*Haut.*) Est-ce que tu as peur?

SUZANNE, *à part, furieuse, se levant.* Tu! . . .

ROGER, *à part, respirant.* Ils n'en sont que là! (*Suzanne revient, après un geste de résolution, se rasseoir auprès de lui,* 15 *sans mot dire.*)

ROGER, *terrifié, à part.* Comment? . . . Encore plus loin? . . . Mais alors? . . . (*Haut.*) Ah! tu n'as pas peur?

SUZANNE. Peur . . . avec toi? . . .

ROGER, *à part.* Avec! . . . Mais jusqu'où a-t-il poussé la 20 séduction, le misérable! Oh! je le saurai! je veux le savoir . . . Je le veux . . . je le dois . . . j'ai charge d'âme . . . (*Haut, avec décision.*) Eh bien! . . . en ce cas, voyons, si tu n'as pas peur, pourquoi me fuir? (*Il l'attire à lui.*)

SUZANNE, *indignée.* Oh! 25

ROGER. Pourquoi te détourner de moi? (*Il passe son bras autour de sa taille.*)

SUZANNE, *même jeu.* Oh!

ROGER. Pourquoi me défendre ton visage? (*Il se penche sur elle.*) 30

SUZANNE, *bondissant sur ses pieds.* Oh! c'est trop fort!

ROGER. Oui! c'est trop fort!

SUZANNE. Mais regardez-moi donc! Suzanne! Pas Lucy, Suzanne, entendez-vous?

ROGER. Et moi Roger! pas Bellac, Roger! entendez-vous?

SUZANNE. Bellac?

ROGER. Oh! malheureuse enfant! C'était donc vrai? . . . Ah! Suzanne! Suzanne! . . . Que c'est mal! . . . Que vous me faites mal! . . . Enfin, il va venir, je l'attends!

SUZANNE. Comment? Qui?

ROGER. Mais vous ne comprenez donc pas que j'ai lu la lettre?

SUZANNE. La lettre! . . . C'est moi qui l'ai lue, votre lettre?

ROGER. Ma lettre? La lettre de Bellac!

SUZANNE. De Bellac? . . . De vous! . . .

ROGER. De moi?

SUZANNE. De vous! . . . A Lucy! . . .

ROGER. A Lucy? . . . A vous! à vous! à vous! . . .

SUZANNE. A Lucy! . . . à Lucy! . . . à Lucy! . . . qui l'avait perdue!

ROGER, *stupéfait.* Perdue!

SUZANNE. Ah! j'étais là quand elle l'a réclamée au domestique! Vous ne direz pas . . . Et je l'avais trouvée, moi!

ROGER, *éclairé.* Trouvée.

SUZANNE. Oui . . . oui . . . trouvée, et le rendez-vous . . . et la migraine . . . et tout! Je savais tout. Et j'ai voulu voir, et je suis venue . . . Et vous me preniez pour elle . . .

ROGER. Moi?

SUZANNE, *les larmes commençant à la gagner.* Oui, vous! Oui, vous! . . . Vous me preniez pour elle, et vous lui disiez que vous l'aimiez! . . . Si! . . . Si! . . . Alors, pourquoi m'avez-vous dit que vous ne l'aimiez pas? . . . Oui! . . . à moi . . . tantôt . . . vous me l'avez dit, et que vous ne l'épousiez pas . . . Pourquoi l'avez-vous dit? Il ne fallait pas me le dire. Épousez-la si vous voulez, cela m'est bien égal, mais il ne fallait pas me le dire! . . . Vous m'avez trompée . . . vous m'avez menti! Ce n'est pas bien! Puisque vous l'aimiez, il ne fallait pas . . . il fallait! . . . (*Se jetant dans ses bras.*) Ah! ne l'épouse pas! . . . ne l'épouse pas! . . . ne l'épouse pas!

ROGER. Suzanne ! . . . ô ma chère Suzanne ! que je suis heureux !

SUZANNE. Hein ?

ROGER. Cette lettre, alors, tu l'as trouvée ? Elle n'est pas à toi ? 5

SUZANNE. A moi ?

ROGER. Eh bien ! ni à moi non plus . . . je te jure !

SUZANNE. Mais . . .

ROGER. Puisque je te le jure ! Elle est à Lucy ! . . . à Bellac ! . . . à d'autres ! . . . Que nous importe ! Ah ! je com- 10 prends maintenant . . . Tu croyais . . . Oui . . . oui . . . Comme moi . . . Je comprends ! Ah ! . . . chère enfant . . . ma chère Suzanne ! Que j'ai eu peur ! mon Dieu ! que j'ai eu peur !

SUZANNE. Mais de quoi ?

ROGER. De quoi ? Oui, c'est vrai ! . . . C'est absurde ! . . . 15 non ! . . . non ! . . . ne cherche pas . . . C'est odieux ! . . . pardon, entends-tu ? . . . Je te demande pardon . . .

SUZANNE. Alors, tu ne l'épouses pas ?

ROGER. Mais, puisque je te dis . . .

SUZANNE. Oh ! je n'entends rien à tout ça, moi . . . Dis 20 seulement que tu ne l'épouses pas, et je te croirai.

ROGER. Mais non ! . . . mais non ! . . . Qu'elle est enfant ! Voyons, ne pleure plus . . . essuie tes yeux, chère petite, chère Suzanne. Nous ne sommes plus fâchés . . . ne pleure donc plus. 25

SUZANNE, *au milieu.*[1] Je ne peux pas m'en empêcher.

ROGER. Mais pourquoi ?

SUZANNE. Mais je n'ai que toi, moi, Roger. Je ne veux pas que tu me quittes.

ROGER. Te quitter ? 30

SUZANNE, *toujours pleurant.* Je suis jalouse, tu sais bien . . . Tu ne comprends pas ça, toi . . . non . . . non . . . Oh ! j'ai

---

[1] **au milieu**: that is, 'still weeping' (*lit.* in the midst of weeping).

bien vu, ce soir, quand je voulais te faire enrager avec M. Bellac . . . Tu ne me regardais pas seulement. Cela t'est bien égal, M. Bellac.

ROGER. Lui ! Mais je voulais le tuer !

5 SUZANNE. Le tuer ! . . . (*Elle lui saute au cou.*) Oh ! que tu es gentil. Tu croyais donc ? . . .

ROGER. Tais-toi . . . ne parlons plus de cela . . . c'est fini . . . c'est oublié, rien ne s'est passé. . . . Recommençons tout ! A mon arrivée, à la tienne, tantôt . . . Bonjour, Suzanne, bon-10 jour, ma chérie. Comme il y a longtemps que je ne t'ai vue ! Viens là . . . viens près de moi . . . comme tantôt. (*Il s'assied et la fait asseoir tout près de lui.*)

SUZANNE. Ah ! Roger, comme tu es bon maintenant ! Comme tu me dis des choses ! . . . Tu m'aimes mieux qu'elle, 15 alors, bien vrai ?

ROGER, *s'animant peu à peu.* T'aimer ? Mais est-ce que ce n'est pas mon devoir de t'aimer ? . . . mon devoir de parent, de tuteur ? . . . mon devoir d'honnête homme enfin ? T'aimer ! Tiens, quand j'ai lu cette lettre . . . je ne sais ce qui s'est passé 20 en moi . . . Ah ! c'est là que j'ai compris quelle affection sérieuse . . . Oh ! oui, je t'aime, chère enfant, chère pureté, et plus que je ne le pensais moi-même, et je veux que tu le saches. (*Très tendre.*) N'est-ce pas que tu le sais ? N'est-ce pas que tu le sens que je t'aime bien . . . ma chère petite Suzanne ?

25 SUZANNE, *un peu étonnée.* Oui . . . Roger . . .

ROGER. Tu me regardes . . . Je t'étonne . . . je ne te convaincs pas . . . Je suis si peu habitué aux expansions tendres, si gauche aux caresses . . . Je ne sais pas dire ces choses-là . . . moi . . . L'éducation du cœur se fait par les mères, et tu con-30 nais la mienne . . . Elle a fait de moi un piocheur, un savant. La science a rempli ma vie. Tu en as été le seul repos, le seul sourire, la seule jeunesse ! Tu n'as que moi, dis-tu ? Eh bien ! et moi, chère petite, qu'ai-je eu à aimer que toi, que toi seule . . . et je ne le sentais pas, non ! Tu m'as pris comme les enfants vous prennent, sans qu'ils le sachent et qu'on s'en doute : par l'expansion puissante de leur être, par l'obsession de leur grâce, par la séduction de leur faiblesse, par tout ce qui fait que l'on aime, parce que l'on se donne et que l'on se soumet à ce que l'on protège. J'étais ton maître, mais ton élève aussi. Pendant 5 que j'ouvrais ton esprit à la pensée, tu ouvrais mon âme à la tendresse. Je t'apprenais à lire . . . tu m'apprenais à aimer. C'est sur tes petits doigts roses, c'est sur la soie d'or de tes cheveux d'enfant que mon cœur ignorant a épelé ses premiers baisers. Tu y es entrée, toute petite, dans ce cœur où tu as 10 grandi et que tu remplis maintenant tout entier, entends-tu? tout entier. (*Silence.*) Eh bien ! es-tu rassurée?

SUZANNE, *émue, se levant, et à voix basse.* Allons-nous-en !

ROGER, *étonné.* Pourquoi? Où?

SUZANNE, *très troublée.* Autre part . . . 15

ROGER, Mais pourquoi?

SUZANNE, *de même.* Il fait sombre !

ROGER. Mais, tout à l'heure ! . . .

SUZANNE. Ah ! tout à l'heure . . . je n'avais pas vu.

ROGER. Non, reste ! . . . reste ! . . . Où serons-nous mieux 20 qu'ici? J'ai tant de choses encore . . . J'ai le cœur si plein . . . Je ne sais pas pourquoi je te dis tout cela . . . c'est vrai . . . mais c'est si bon de te le dire. Ah ! Suzanne . . . reste encore . . . ma chère Suzanne . . . (*Il la retient.*)

SUZANNE, *voulant se dégager.* Non . . . non . . . je vous en 25 prie . . .

ROGER, *étonné.* Vous? Tu ne me tutoies plus !

SUZANNE, *toujours plus troublée.* Je . . . je vous en prie ! . . .

ROGER. Mais, tout à l'heure . . .

SUZANNE. Oui, mais plus maintenant . . . 30

ROGER. Mais pourquoi?

SUZANNE. Je ne sais pas . . . je . . .

ROGER. Eh bien ! . . . encore ! . . . Tu pleures . . . Je t'ai fait du chagrin?

SUZANNE. Non . . . oh ! . . . non.

ROGER. Alors . . . je t'ai offensée sans le vouloir . . . J'ai . . .

SUZANNE. Non . . . non . . . Je ne sais pas . . . Je ne comprends pas . . . Je suis . . . Allons-nous-en, je vous en prie . . .

5 ROGER. Suzanne . . . Mais je ne comprends pas non plus . . . je ne devine pas . . .

SCÈNE VIII

LES MÊMES, LA DUCHESSE, *paraissant*

LA DUCHESSE. Et savez-vous pourquoi ? C'est que vous n'y voyez clair ni l'un ni l'autre. (*Elle tourne le gaz. La scène s'éclaire.*) Voilà !

10 ROGER. Ma tante !

LA DUCHESSE. Ah ! chers petits, que vous me rendez heureuse ! Allons, embrasse ta femme, toi !

ROGER, *stupéfait d'abord.* Ma femme ! . . . Suzanne ! (*Il regarde sa tante, il regarde Suzanne ; puis avec un cri.*) Ah !

15 c'est vrai . . . je l'aime !

LA DUCHESSE, *avec joie.* Allons donc ! . . . Et d'un qui voit clair. . . . (*A Suzanne.*) Eh bien . . . et toi ?

SUZANNE, *les yeux baissés.* Ah ! ma tante !

LA DUCHESSE. Tu y voyais déjà, toi, il paraît. Les femmes

20 ont toujours l'œil plus vif . . . Hein ? Quelle belle invention que le gaz. Tout va bien ? Il n'y a plus que ta mère. . . .

ROGER. Comment ?

LA DUCHESSE. Ah ! dame, ça sera dur. . . . La voilà ! . . . Les voilà tous : toute la tragédie ! Pas un mot . . . Laisse-moi

25 faire . . . Je m'en charge ! Mais qu'est-ce qui se passe donc là-bas ?

SCÈNE IX

LES MÊMES, MADAME DE CÉRAN, *d'abord, entrant joyeuse ; puis, peu à peu, par toutes les issues :* DES MILLETS, *entouré de dames,* LE GÉNÉRAL, BELLAC, LUCY, MADAME DE LOUDAN, MADAME ARRIÉGO, PAUL *et* JEANNE, *tous les personnages du 2e acte*

MADAME DE CÉRAN. Grande nouvelle, ma tante !

LA DUCHESSE. Quoi donc ?

MADAME DE CÉRAN. Revel est mort !

LA DUCHESSE. Tu badines !

MADAME DE CÉRAN. C'est dans les journaux du soir. Voyez. 5
(*Elle lui tend un journal.*)

LA DUCHESSE. Allons donc ! (*Elle prend le journal et lit.*)

MADAME ARRIÉGO, *au poète.* Très beau ! Superbe !

MADAME DE LOUDAN. Très belle œuvre ! Et si élevée !

LE GÉNÉRAL. Très remarquable ! Il y a un joli vers ! 10

DES MILLETS. Oh ! Général !

LE GÉNÉRAL. Si ! si ! . . . un très joli vers ! Le . . . Comment dites-vous cela ? Le . . . "L'honneur est maintenant semblable à un dieu qui n'aurait plus un seul autel." Très joli vers ! 15

PAUL, *à Jeanne.* Un peu long !

BELLAC, *tenant un journal, et à Lucy.* Il est mort à six heures.

SAINT-RÉAULT, *à sa femme. Il tient un journal.* Oui ! à six heures — Oh ! j'ai la parole de M. Toulonnier. 20

BELLAC, *à Lucy.* Toulonnier m'a promis formellement . . .

MADAME DE CÉRAN, *à la duchesse.* Toulonnier est tout à nous !

LA DUCHESSE. Au fait, où est-il donc, votre Toulonnier !

SAINT-RÉAULT. On vient de lui remettre une dépêche. 25

MADAME DE CÉRAN, *à part.* Confirmative ! . . . c'est bien cela. Mais pourquoi ? . . . (*le voyant entrer.*) Ah ! enfin !

TOUT LE MONDE. C'est lui! Ah! ah! (*Toulonnier descend en scène. — On l'entoure.*)

MADAME DE CÉRAN. Mon cher secrétaire général!

SAINT-RÉAULT. Mon cher Toulonnier!

5 MADAME DE CÉRAN. Eh bien! cette dépêche?

BELLAC. Il s'agit de ce pauvre Revel, n'est-ce pas?

TOULONNIER, *embarrassé.* De Revel, oui.

BELLAC. Eh bien! qu'est-ce qu'elle dit.

LA DUCHESSE, *regardant Toulonnier.* Elle dit qu'il n'est pas
10 mort, parbleu!

MADAME DE CÉRAN, BELLAC, SAINT-RÉAULT, *montrant les journaux.* Mais les journaux?

LA DUCHESSE. Ils se seront trompés!

TOUS. Oh!

15 LA DUCHESSE. Pour une fois! (*A Toulonnier.*) N'est ce pas?

TOULONNIER, *avec ménagement.* En effet, il n'est pas mort.

SAINT-RÉAULT, *se laissant tomber sur un siège.* Encore!

20 LA DUCHESSE. Et on l'a même nommé quelque chose de plus, je le parierais!

TOULONNIER. Commandeur de la Légion d'honneur.

SAINT-RÉAULT, *bondissant sur ses pieds.* Toujours!

TOULONNIER, *montrant son télégramme.* Ce sera demain à
25 *l'Officiel*.... Voyez! (*Douloureusement, à Saint-Réault.*) Je prends bien part...

LA DUCHESSE, *regardant Toulonnier, à part.* Il le savait en venant ici; il est très fort. (*Haut.*) Et moi aussi, j'ai une grande nouvelle à vous annoncer.

30 TOUT LE MONDE. Ah! (*On se tourne vers la duchesse.*)

LA DUCHESSE. J'en ai même deux.

LUCY. Comment?

MADAME DE LOUDAN. Deux? Et lesquelles, Duchesse?

BELLAC. Lesquelles?

La Duchesse. D'abord le mariage de notre amie miss Lucy Watson avec M. le professeur Bellac.

Tout le Monde. Avec Bellac? Comment?

Bellac, *bas*. Duchesse !

La Duchesse. Ah ! . . . il faut réparer ! 5

Bellac. Rép . . . Ah ! mais, avec bonheur ! Ah ! Lucy !

Lucy, *étonnée*. Pardon, Madame . . .

La Duchesse, *bas*. Ah ! . . . il faut réparer, mon enfant !

Lucy, *de même*. Il ne peut y avoir réparation ; il n'y a pas faute, Madame, et vous avez tort de dire : « Il faut.» 10

Bellac. Comment?

Lucy. Mes sentiments étant d'accord avec ma volonté. (*Elle tend la main à Bellac.*)

Bellac. Ah ! Lucy.

La Duchesse. Allons, tant mieux ! . . . Et d'un ! 15

Madame de Loudan. Ah ! Lucy ! vous êtes heureuse entre toutes les femmes.

La Duchesse. Et seconde nouvelle !

Madame de Loudan. Encore un mariage !

La Duchesse. Encore un, oui ! 20

Madame de Loudan. Mais, c'est la fête d'Hyménée !

La Duchesse. Le mariage de mon cher neveu, Roger de Céran . . .

Madame de Céran. Duchesse !

La Duchesse. Avec une fille que j'aime de tout mon 25 cœur . . .

Madame de Céran. Ma tante !

La Duchesse. Ma légataire universelle ! . . .

Madame de Céran. Votre . . .

La Duchesse. L'héritière de mes biens et de mon nom ! . . . 30 ma fille adoptive enfin, mademoiselle Suzanne de Villiers de Réville.

Suzanne, *se jetant dans ses bras*. Ah ! ma mère !

Madame de Céran. Mais, Duchesse !

LA DUCHESSE. Trouves-en une plus riche et de meilleure famille, toi.

MADAME DE CÉRAN. Je ne dis pas. Cependant ... (*A Roger.*) Songe, Roger.

5 ROGER. Je l'aime, ma mère !

LA DUCHESSE, *cherchant des yeux autour d'elle.* Et de deux ! Il me reste ... (*A Paul.*) Ah ! venez donc un peu ici, vous. ... Comment allez-vous réparer, vous ?

PAUL, *penaud.* Ah ! Duchesse, c'était vous ?

10 JEANNE, *confuse.* Ah ! Madame, vous avez entendu ? ...

LA DUCHESSE. Oui, petite masque, oui, j'ai entendu.

PAUL. Oh !

LA DUCHESSE. Mais, comme vous n'avez pas dit trop de mal de moi, je vous pardonne. Vous serez préfet, allons !

15 PAUL. Ah ! Duchesse. (*Il lui baise la main.*)

JEANNE. Ah ! Madame ! ... La reconnaissance, a dit Saint-Évremond ...

PAUL, *à Jeanne.* Oh ! maintenant ce n'est plus la peine ! ...

QUESTIONS IN FRENCH FOR VIVA VOCE DRILL

AND

ENGLISH EXERCISES FOR RETRANSLATION BASED UPON THE TEXT

I

ACT I, SC. I.— 1. Quel est le titre de la comédie que nous venons de lire? 2. Qui en est l'auteur? 3. Qu'est-ce que la scène représente au lever du rideau au premier acte? 4. Qui est François et que vient-il faire au salon? 5. Qui est Lucy? 6. Qu'est-ce qu'elle demande à François? 7. Décrivez la lettre dont il s'agit. 8. Est-ce que la lettre est à Lucy?

II

ACT I, SC. II.—1. De quelle manière Jeanne parle-t-elle à François? 2. Qu'est-ce qu'elle lui demande? 3. De quelle façon Paul pose-t-il la même question? 4. Veuillez répéter sa question. 5. D'où Jeanne et Paul arrivent-ils? 6. Saint-Germain est-il loin de Paris? 7. Y a-t-il longtemps que Jeanne et Paul sont mariés? 8. Qu'est-ce que François les appelle? 9. Quelle est la position sociale de Paul? 10. Est-ce qu'il y a un arrondissement d'Agenis? 11. Quelle personne du pronom et du verbe François emploie-t-il en parlant à M. Raymond? 12. Qu'est-ce que Paul défend à sa femme de faire? 13. Et elle, est-ce qu'elle prend cela au sérieux? 14. Que fait-elle? 15. Dans quelle intention Paul est-il venu s'ennuyer au château de madame de Céran? 16. De qui dépendait son avancement? 17. Pourquoi fallait-il que Jeanne fût sur ses gardes? 18. Comment devait-elle se comporter? 19. Quelle sorte de citations son mari lui permettait-il de faire? 20. Qui est Hegel? 21. Qui est Jean-Paul? 22. Est-ce que Jeanne parlait politique? 23. Qui est Pufendorf? 24. Qui est Machiavel? 25. Qu'est-ce que vous savez au sujet du Concile de Trente? 26. Quelle distractions Paul permettait-il à sa jeune femme? 27. Quelle sorte de robes devait-elle porter? 28. Quand, selon Paul, est-on bien près d'être ministre? 29. Pourquoi Paul voulait-il être ministre? 30. A quel parti politique Paul appartenait-il? 31. Est-ce que madame de Céran était de ce parti? 32. En ce qui concerne les places, quelle différence y a-t-il, selon Paul, entre les conservateurs et les opposants? 33. Comment Paul décrit-il le salon de madame de Céran? 34. De quoi le pédantisme y tient-il lieu? 35. De quoi la sentimentalité y tient-elle lieu? 36. De quoi la préciosité y tient-elle lieu? 37. Qu'est-ce que l'on n'y dit jamais? 38. Quel monde enfin, selon lui, est ce monde-là? 39. Comment Jeanne le désigne-t-elle? 40. Jusqu'à quel point le Français pousse-t-il son horreur de l'ennui? 41. Sous quelle forme comprend-il le mieux le sérieux? 42. Est-ce qu'il pratique ce qu'il croit? 43. En quoi le peuple français a-t-il perdu sa foi? 44. Quelles sont au fond les vraies qualités du peuple français? 45. Par quoi ce peuple s'en laisse-t-il imposer? 46. Le Français aime-t-il les pédants? 47. Est-ce qu'il les admire? 48. Qui seul a sa confiance absolue? 49. Combien de sortes de gens, selon Paul, y a-t-il au monde? 50. Lesquels sont les plus puissants, ceux qui savent s'ennuyer, ou ceux qui savent ennuyer les autres? 51. Comment Paul se propose-t-il de se dédommager des ennuis de son séjour au château? 52. Et comment veut-il faire supporter ce séjour à sa jeune femme? 53. Est-ce que cet arrangement lui plaît, à elle? 54. Jeanne sait-elle jouer du piano? 55. Quel air joue-t-elle? 56. Qu'est-ce que *La Fille de madame Angot?* 57. Est-ce qu'il y a une grande différence entre cet air d'opérette et une symphonie de Beethoven? 58. Qu'est-ce qu'un conservatoire? 59. De quel conservatoire Paul parle-t-il ici? 60. Quelle musique joue-t-on de préférence au Conservatoire?

III

ACT I, SC. II. — 1. Please[1] look for the magazines and newspapers. 2. Bring[2] them to me when you have found[3] them. 3. I shall wait for[4] you in the parlor. 4. Do not forget what[5] I told[6] you: no laughing here, or I shall scold. 5. The count did[6] me the honor

[1] Veuillez. [2] apporter. [3] *fut. perf.* [4] attendre. [5] ce que. [6] *past indef.*

to introduce his young wife to me. 6. How long[7] have you been[8] at Saint-Germain? 7. I have been[8] here[9] a week, and I shall stay[10] a few days longer.[11] 8. Are you here to have a good time or to learn[12] French? 9. Both.[13] I have been studying[14] literature[15] and philosophy[15] at the *Jeune École*. 10. Well,[16] let us talk about literature and philosophy. 11. Let[17] your quotations from Hegel and[18] Jean-Paul be[19] short and to the point.[20] 12. If you talk politics, don't quote Pufendorf and Machiavelli. 13. What difference is there between the conservatives and the liberals? 14. There is no material difference[21] between them; they both[22] attain their ends. 15. Is the influence[23] of the literary salons as[24] great as formerly[25] in literature and politics? 16. Yes, it is right here that reputations, positions, and offices are made, unmade, and made "prodigious"; they are the laboratories of success in France. 17. The French people are, at bottom, gay and amiable, but they despise themselves for being so. 18. And so[26] they let themselves be imposed upon by the pedants of the salons, not being able to understand the serious except under the form of ennui. 19. And that is why the French have[27] absolute confidence in[28] those who bore them the most.[29]

[7] **Depuis quand.** [8] *pres.* [9] *insert* **depuis.** [10] **I shall stay=je vais rester ici.** [11] **encore.** [12] **apprendre.** [13] **tous les deux.** [14] **étudier,** *or* **suivre les cours de.** [15] *def. art. after* **étudier.** [16] **Eh bien.** [17] **Que.** [18] *insert* **de.** [19] *subjunctive.* [20] **juste** *or* **à propos.** [21] **différence matérielle.** [22] *post positive.* [23] **influence,** *f.* [24] **aussi.** [25] **autrefois.** [26] **aussi,** *causing inversion.* [27] *insert indef. art.* [28] **en.** [29] **le plus.**

IV

ACT I, SC. III.—1. Quelle réponse François apporta-t-il de la part de madame de Céran au sous-préfet? 2. Comment François décrivit-il le baron Ériel de Saint-Réault? 3. Quelles personnes étaient en ce moment au château? 4. Lesquelles de ces personnes étaient de la maison? 5. Est-ce qu'on attendait des étrangers? 6. Pourquoi attendait-on tant de dames?

ACT I, SC. IV.—7. Jeanne est-elle bête? 8. Est-ce que son mari se rend compte de son mérite? 9. Pourquoi veut-il lui dire un mot sur les gens de la maison? 10. Quel dédommagement Jeanne exige-t-elle pour ces renseignements? 11. Sur combien de personnes fallait-il lui donner des renseignements? 12. Combien y en avait-il qui n'étaient pas sérieuses? 13. Que savez-vous au sujet de la duchesse de Réville? 14. Comment Paul décrivit-il Suzanne de Villiers? 15. Quel âge avait-elle? 16. Est-ce qu'elle était riche? 17. Avait-elle fait des études sérieuses? 18. Pourquoi n'avait-on pas voulu la garder au couvent? 19. Qui était son tuteur? 20. Est-ce que madame de Céran était contente de l'avoir chez elle comme pupille de son fils?

V

ACT I, SC. IV. — 1. Madame de Céran has invited us to spend a few days at her château. 2. Before[1] we go[2] I must[3] tell you something about the people[4] we shall meet[5] there.[6] 3. One cannot say that they are men and women; they are all serious people, that is,[7] tiresome people.[8] 4. There are two, however, that are not at all serious. 5. Of these two I shall speak first. 6. The duchess of Réville is a handsome old lady, with lots of good sense, but rather plain-spoken. 7. Suzanne de Villier is a tomboy of eighteen, bold in manners and speech. 8. Her parents died when she was twelve years old, leaving her all alone in the world. 9. The duchess worships her, but madame de Céran, her cousin, detests her. 10. That is[9] because the duchess had Roger, madame de Céran's son, made her guardian. 11. Madame de Céran is afraid[10] that Roger will fall in love with[11] his ward. 12. She had her put in a boarding-school, but she ran away twice. 13. The third time, she was expelled. 14. The effect of her presence[12] in madame de Céran's house is like[13] a display of fireworks in the moon.

[1] **avant que.** [2] *subjunctive; insert* **y.** [3] **il faut que je.** [4] *insert* **que,** *rel. obj.* [5] **rencontrer** *or* **voir.** [6] **y.** [7] **c'est-à-dire.** [8] **des gens ennuyeux.** [9] **c'est.** [10] **craindre** *or* **avoir peur.** [11] **devenir amoureux de**; *in the subjunctive.* [12] **présence,** *f.* [13] **comme.**

VI

ACT I, SC. V. — 1. De quelle école Revel était-il directeur? 2. Y a-t-il à Paris une école qui s'appelle ainsi? 3. Revel avait-il encore d'autres places? 4. Comment Revel se portait-il toujours? 5. Pourquoi Paul se disait-il heureux d'être présenté à M. de Saint-Réault? 6. Et le baron, était-il heureux de faire la connaissance de M. Raymond? 7. Qu'est-ce que Saint-Réault a fait pendant que Mme de Céran parlait à M. et Mme Raymond? 8. Répétez ce qu'elle a dit au sujet du mouvement de son salon. 9. Quel était le programme littéraire de la soirée dont il s'agit dans la comédie? 10. Qu'est-ce qu'un travail inédit? 11. Que veut dire une pièce inédite? 12. Qui est Rama? 13. Qui est Ravana? 14. Qu'est-ce que le sanscrit? 15. Qu'est-ce que le Théâtre-Français? 16. Pourquoi madame de Céran voulait-elle un journal? 17. Est-ce qu'elle aurait trouvé dans le *Journal amusant* ce qu'elle cherchait? 18. Qui est Joubert? 19. Qui est Tocqueville? 20. Est-ce que les citations de Jeanne étaient vraiment tirées de ces écrivains? 21. Quand dînait-on au château de madame de Céran? 22. Pourquoi tenait-on tant à plaire à la duchesse de Réville?

VII

ACT I, SC. VI. — 1. Combien de temps y a-t-il que la duchesse connaît Paul Raymond? 2. Est-ce qu'elle connaissait sa femme? 3. Qui la lui a présentée? 4. Est-ce que la duchesse l'a trouvée jolie et charmante? 5. Qu'est-ce qu'un républicain? 6. Pourquoi cette assimilation du républicanisme à la rougeole? 7. Savez-vous quelle couleur était la plus chère au cœur des républicains? 8. Cela ne peut-il pas être un jeu de mots aussi bien qu'un bon mot? 9. Quand est-on le plus exposé et à la rougeole et aux idées républicaines? 10. Quand la troisième république fut-elle établie? 11. A la suite de quelle guerre? 12. A la nouvelle de quelle bataille? 13. Qu'est-ce que c'est qu'un pinson? 14. Est-ce que Jeanne était, au fond, gaie comme un pinson? 15. Répétez sa réponse à la question de la duchesse si elle était un peu gaie. 16. Est-ce que vous remarquez une différence entre la façon de parler de la duchesse et celle de madame de Céran, même à la femme de chambre? 17. Voulez-vous répéter les deux ordres, celui de la duchesse et celui de madame de Céran, à la femme de chambre? 18. Est-ce que madame de Céran a cru faire plaisir à Paul et à Jeanne, en les logeant aux deux bouts de la maison? 19. Pourquoi a-t-elle mis Paul dans le pavillon des Muses? 20. Paul lui en était-il vraiment reconnaissant?

VIII

ACT I, SC. VII. — 1. Quelles personnes voit-on sur le théâtre au commencement de la septième scène? 2. A quoi la duchesse travaille-t-elle? 3. Et madame de Céran, que fait-elle? 4. De qui parlent-elles? 5. Combien de places Revel occupait-il? 6. Pourquoi la situation de directeur de la Jeune École était-elle d'une si grande importance? 7. Pour qui madame de Céran voulait-elle cette place? 8. Sur qui comptait-elle pour obtenir cette place pour son fils? 9. Est-ce qu'elle voulait faire de son fils un maître d'école? 10. Quel âge avait-il? 11. Quand serait-il de l'Institut? 12. Qu'est-ce que c'est que l'Institut? 13. A quel âge serait-il à la Chambre? 14. Qu'est-ce que la Chambre? 15. Comment la duchesse décrit-elle M. de Céran? 16. Croyez-vous qu'il ait été vraiment un imbécile, ou n'est-ce qu'une façon de parler propre à la duchesse? 17. Comment décrit-elle Lucy Watson? 18. Pourquoi la duchesse n'aime-t-elle pas Lucy? 19. Ne serait-il pas possible que Roger soit heureux avec Lucy, en dépit de ses lunettes et de sa maigreur? 20. Qui est Schopenhauer? 21. Est-ce que Lucy s'intéressait à sa philosophie? 22. Qu'est-ce que madame de Céran dit au sujet de Lucy? 23. Pourquoi la duchesse l'appelait-elle une banquise anglaise? 24. Qu'arriverait-il si Roger venait à l'embrasser? 25. Pourquoi la duchesse croit-elle que Bellac en tienne pour Lucy? 26. Dans quelle intention avait-elle amené Suzanne chez madame de Céran? 27. Pourquoi madame de Céran s'y oppose-t-elle? 28. Pourquoi madame de Céran croit-elle que Suzanne soit amoureuse de Bellac? 29. Est-ce qu'on peut aimer la science, sans s'éprendre du savant? 30. De qui Suzanne était-elle jalouse? 31. Comment la duchesse expliquait-elle les caprices de Suzanne? 32. Est-ce que madame de Céran était étonnée d'entendre dire qu'on s'ennuyait chez elle? 33. Qu'est-ce qu'il y a, selon la duchesse, qui n'ennuie jamais les femmes? 34. Est-ce qu'il n'y a pas d'autre bonheur au monde que celui d'aimer et d'être aimé? 35. Quand les femmes sont-elles romanesques? 36. Résumez la conversation entre la comtesse et sa tante. 37. Qui jugera laquelle des deux a raison? 38. Pourquoi faut-il que Roger sache tout cela?

IX

ACT I, SC. VII. — 1. He speaks French, but not very well. 2. He teaches[1] it at the *Jeune École.* 3. That is[2] a position that my son ought to have. 4. The principal will be here to-night[3] and I shall speak to him about it.[4] 5. But you don't wish to make a school teacher of him, do you?[5] 6. Why, that is a position of[6] great influence; it may[7] lead to the Institute, to the Chamber, to everything.[8] 7. That[9] is what[10] his father was,[11] and he became[12] minister of agriculture and commerce. 8. You think so much[13] of your son's career that you forget[14] his happiness. 9. He shall[15] marry Lucy; she is handsome, very rich, and of good family. She will make[16] him happy. 10. But she is English, and he dislikes[17] the English. English girls are like ice-floes. 11. You would like to have him marry Suzanne, but she will never consent.[18] 12. She is in love with Professor[19] Bellac. 13. You have told me that before,[20] but I don't believe a word of it.[21] 14. You think that because[22] she goes to his lectures she loves him. 15. Why, she doesn't miss a lecture, and she writes up her notes, and studies all the time.[23] 16. You are taking the wrong track; Lucy is in love with Bellac and Suzanne loves your son. 17. You are wrong. Anyhow,[24] I am determined[25] that he shall marry Lucy. 18. Roger shall judge which of us is right.[26] 19. You aren't going[27] to tell[28] him, are you[5]? 20. Yes,[29] he is her guardian, and he should know everything[30] that concerns[31] her happiness.

[1] **enseigner.** [2] **voilà.** [3] **ce soir.** [4] **en.** [5] **donc** (*before* **pas**) *or* **voyons.** [6] *insert indef. art.* [7] **pouvoir.** [8] **tout.** [9] **ce.** [10] **ce que,** *directly preceding the verb.* [11] *past indef.* [12] *past indef. of* **devenir.** [13] **tant.** [14] **oublier.** [15] **devoir.** [16] **rendre.** [17] **ne pas aimer.** [18] *insert* **y.** [19] *use def. art.* [20] **déjà.** [21] **en.** [22] **parce que.** [23] **tout le temps.** [24] **Du reste** *or* **Enfin.** [25] **vouloir.** [26] **to be right = avoir raison.** [27] **vouloir;** *tense?* [28] *insert* **le.** [29] **si;** *why?* [30] **tout ce qui.** [31] **regarder.**

X

ACT I, SC. VIII. — 1. Dans quelle toilette Lucy paraît-elle au commencement de cette scène? 2. Est-ce que la comtesse avait peur que son fils ne revînt pas? 3. A qui avait-il écrit qu'il arrivait le jour même? 4. Est-ce que c'était pour cela que Lucy avait manqué le cours de M. Bellac? 5. Qu'est-ce qui l'avait retenue? 6. Pour qui Lucy avait-elle fait grande toilette? 7. Pourquoi portait-elle des lunettes? 8. Est-ce que les Anglais sont plus pratiques, généralement parlant, que les Français?

ACT I, SC. IX. — 9. Quel accueil la comtesse fait-elle à son fils? 10. La duchesse se laisse-t-elle baiser la main par Roger? 11. Que dit-elle au sujet de ses moustaches? 12. Comment Roger et Lucy se sont-ils acueillis? 13. Qu'est-ce que Roger dit au sujet de son voyage? 14. Est-ce que la duchesse s'intéresse à ce voyage? 15. Sur qui veut-elle surtout des renseignements? 16. Quel a été le but de sa mission scientifique en Orient? 17. Où voulait-il publier les résultats de sa mission? 18. Qui est Marivaux? 19. Que veut dire marivauder?

ACT I, SC. X. — 20. Quelle récompense Roger aura-t-il le jour du dépôt chez le ministre de son rapport sur les résultats de sa mission scientifique en Orient? 21. Quels sont les différents grades dans la Légion d'honneur? 22. Quelle critique madame de Céran fait-elle des articles de son fils sur les monuments funéraires de l'Asie occidentale? 23. Quelle tendance blâme-t-elle dans ces articles? 24. Quel auteur lui reproche-t-elle spécialement d'avoir cité? 25. Pourquoi le lui reproche-t-elle? 26. A quoi reconnaît-on, selon la réponse amusante de la duchesse, qu'un article est sérieux? 27. Comment la duchesse décrit-elle Bellac? 28. Quelle sorte de savant est-il? 29. Comment se pousse-t-il dans le monde? 30. Qu'est-ce que la princesse Okolitch lui fait faire dans son salon? 31. Combien de fois par semaine fait-il ce cours? 32. Sous quel prétexte le fait-il? 33. Qu'est-ce qui en est le but? 34. Qui est Vadius? 35. Pourquoi Roger est-il étonné que Suzanne soit amoureuse de M. Bellac? 36. Comment Roger avait-il laissé Suzanne, en partant pour l'Orient? 37. Comment décrit-il la conduite de Suzanne jusqu'à ce temps-là? 38. Qui est le premier amoureux qu'ait eu la duchesse? 39. A quoi la duchesse compare-t-elle un cœur neuf? 40. Est-ce que la duchesse croit tout ce qu'elle dit au sujet de Suzanne?

XI

ACT I, SC. XI. — 1. Comment Suzanne entre-t-elle en scène? 2. Pourquoi Roger n'embrasse-t-il pas Suzanne? 3. Où et quand Suzanne avait-elle appris le retour de son tuteur? 4. Qui lui apprit cette nouvelle? 5. Qu'est-ce qu'elle a fait en apprenant cette nouvelle? 6. Décrivez l'aventure de son voyage de Paris à Saint-Germain. 7. Qu'est-ce que c'est qu'un guichet? 8. Dans quel embarras se trouvait-elle à son arrivée au guichet? 9. Qui lui offrit de prendre son billet? 10. Qui encore lui fit le même offre? 11. Où allaient tous ces messieurs? 12. A qui Suzanne a-t-elle donné la préférence? 13. Pourquoi l'a-t-elle préféré à tous les autres? 14. Qu'est-ce qu'elle a fait en retrouvant son porte-monnaie? 15. Pourquoi Lucy peut-elle sortir seule? 16. Est-ce que Lucy a été renvoyée du couvent? 17. Qui est Voltaire? 18. Pourquoi ne fallait-il pas mentionner son nom au couvent? 19. Qu'est-ce que Suzanne disait à son sujet? 20. Dans quelle intention Suzanne disait-elle cela? 21. Pourquoi madame de Saint-Réault a-t-elle dû ressentir de l'inquiétude en ne trouvant pas Suzanne à la fin du cours de M. Bellac? 22. Qu'est-ce que Suzanne a dit au sujet du cours de M. Bellac? 23. Qu'est-ce qu'un palimpseste?

XII

ACT I, SC. XII. — 1. He entered the room where Suzanne was[1] and put his hand over her eyes. 2. He did not kiss her, although[2] she is his ward. 3. He has just learned of[3] her arrival. 4. She arrived[4] on the five o'clock train.[5] 5. She could not find her purse when she arrived at the ticket office. 6. Seeing her embarrassment,[6] a young man offered to buy a[7] ticket for[8] her. 7. Then several[9] gentlemen, all of whom[10] were just going to Saint-Germain, made her the same offer. 8. What could she do? She could not remain at the station,[11] so[12] she accepted the offer of a respectable old gentleman. 9. And the other gentlemen got into the train with them, and were eager to show her little attentions. 10. The old gentleman kept speaking to her about his immense estates, but she laughed at him.[13] It[14] made no difference to her. 11. When[15] she arrived at Saint-Germain she found her purse and paid the old gentleman for the ticket that he had purchased for[8] her. 12. Isn't that a very great impropriety? Lucy would never have done that. 13. It is an injustice to Suzanne to compare[16] her with Lucy; Lucy is English, and at least twenty-four years old. 14. Lucy was never expelled from school; she knows how to behave. 15. They expelled Suzanne for saying[17] that Voltaire was a genius. 16. She used to say[18] that on fine sunny days, when she was bored in class. 17. Sister Seraphina would send[18] her out of the room, when she heard her utter[19] Voltaire's name.[20] 18. But one day the Mother Superior heard her, and she expelled her from school. 19. Suzanne didn't care; she had had enough of boarding-school, anyhow. 20. Now, for six months, she has been attending M. Bellac's lectures. 21. He is superb, she[21] says. All the ladies like[22] him.

22. They come to his lectures in full dress. And the applauding they do! 23. But they don't take notes; they come only to hear him speak of love. 24. That will not do them any good,[23] for[24] Bellac is in love with Lucy.

[1] **se trouver.** [2] **bien que.** [3] **apprendre.** [4] *past indef.* [5] **par le train de cinq heures.** [6] **embarras,** *m.* [7] **son.** [8] *omit.* [9] **plusieurs.** [10] **qui . . .** (*verb*) **tous.** [11] **gare,** *f.* [12] **aussi,** *causing inversion.* [13] **de lui.** [14] **ça** *or* **cela.** [15] *omit; use* **en** *with pres. participle.* [16] **comparer** (*à*, with). [17] **because she said.** [18] *imperfect.* [19] **prononcer.** [20] **nom,** *m.* [21] *invert.* [22] **aimer.** [23] *use the verb* **avancer.** [24] **puisque.**

XIII

ACT I, SC. XII. — 1. Décrivez la scène entre Roger et Suzanne.

ACT I, SC. XIII. — 2. Qui est-ce que la duchesse appelle le bel objet? 3. Qui sont ses gardes du corps? 4. Que pensez-vous de Bellac?

ACT I, SC. XIV. — 5. De quoi M. Bellac a-t-il parle dans son cours? 6. Comment en a-t-il parlé? 7. Quel est le titre du livre que M. Bellac publie? 8. Quelle place espère-t-il de la publication de ce livre? 9. Qui attendait-on encore avant de se mettre à table? 10. Est-ce qu'il y a un secrétaire général du ministère? 11. Qu'est-ce qui donne lieu au *quiproquo* de la scène suivante?

ACT I, SC. XV. — 12. Pourquoi Suzanne croyait-elle que la lettre fût de Roger à Lucy? 13. Et Roger, avait-il lieu de croire qu'elle fût de Bellac à Suzanne? 14. Décrivez cette scène.

ACT I, SC. XVI. — 15. Quel est l'effet sur Roger de cette prétendue découverte d'un rendez-vous de Bellac et de Suzanne?

ACT I, SC. XVII. — 16. Pourquoi M. Toulonnier est-il arrivé en retard? 17. A qui a-t-il demandé la permission de se retirer de bonne heure? 18. Est-ce que la réponse de la duchesse a été blessante pour son amour-propre? 19. Quelle demande la comtesse a-t-elle faite à sa tante au sujet de M. Toulonnier? 20. Pourquoi la duchesse n'a-t-elle pas voulu se faire conduire à dîner par M. Toulonnier? 21. Comment Roger entre-t-il en ce moment dans le salon? 22. Quelle nouvelle annonce-t-il à la duchesse? 23. Pourquoi est-ce que l'on s'étonne de voir entrer Suzanne décolletée? 24. De quelle formule François se sert-il pour annoncer le dîner? 25. Par qui Suzanne se laisse-t-elle conduire à table? 26. A qui

Roger offre-t-il son bras? 27. De quoi la duchesse veut-elle parler avec M. Raymond pendant le dîner?

XIV

ACT II, SC. II. — 1. Décrivez le théâtre au commencement du deuxième acte. 2. De quoi Saint-Réault termine-t-il la lecture? 3. Pourquoi Paul dit-il qu'il entend comme un vague auvergnat? 4. Est-ce que l'on est content que Saint-Réault arrive à la fin de sa lecture? 5. Qui seul a dit la vérité au sujet de ce discours pédantesque? 6. Qu'est-ce qu'il en dit? 7. A quoi Saint-Réault a-t-il posé sa candidature? 8. Qu'est-ce que les domestiques ont apporté à la fin de sa lecture? 9. Qu'est-ce que le Mahabharata et le Ramayana? 10. Pourquoi Saint-Réault ne les a-t-il pas cités? 11. Qui ne partage pas son opinion? 12. Comment Suzanne s'est-elle conduite pendant qu'on causait au salon? 13. Pourquoi se conduisait-elle ainsi avec M. Bellac? 14. Qu'est-ce que la duchesse et Roger ont entendu au jardin? 15. Croyaient-ils que ce fût Suzanne et Bellac qui s'embrassaient comme cela? 16. Où la duchesse veut-elle que la lecture de la tragédie se passe? 17. Comment le poète s'appelle-t-il? 18. Pourquoi la duchesse l'appelle-t-elle un poète tout neuf? 19. Est-ce que les dames lui accordent du talent? 20. Pourquoi pas? 21. Qu'est-ce que le général entend par la tragédie? 22. Le général devait-il savoir qu'il ne peut pas y avoir de tragédie française classique sinon en vers et en cinq actes? 23. Quel petit complot les dames veulent-elles exécuter avant la lecture de la tragédie? 24. De quoi s'agit-il dans le petit discours que fait Bellac? 25. Comment définit-il l'amour? 26. Qui est Béatrice? 27. Qui est Laure de Noves? 28. A quoi Bellac a-t-il fait allusion à la fin de son discours? 29. Combien de candidatures y a-t-il maintenant à la succession Revel? 30. A combien de personnes Toulonnier a-t-il promis son influence pour la direction de la Jeune École?

XV

ACT II, SC. I. — 1. These Sanskrit legends cannot be compared with the superhuman conceptions of the Brahmanas. 2. Who compiled and published the eighteen Puranas? 3. All these words[1] ending in -ah[2] make me think of the patois of the Auvergne. 4. The reader is tired and ought[3] to take a rest; we can wait. 5. His discourse is very interesting, but too long and too obscure. 6. His father never bored an[4] audience with insignificant details.[5] 7. But what everybody understood was[6] the allusion to Revel. 8. He evidently[7] desires to be Revel's successor as principal of the *Jeune École*. 9. He is already an old man[8]; and that is why he says that the choice of a successor to Revel ought to be determined by the age of the applicant.[9] 10. Saint-Réault is the only representative of the new science which his father created.

[1] **mot,** *m.* [2] **qui terminent en -ah.** [3] *condit. of* **devoir.** [4] **son.** [5] **avec des détails insignifiants.** [6] **c'était.** [7] **évidemment**; *not between subj. and verb.* [8] **très vieux.** [9] **candidat,** *m.*

XVI

ACT II, SC. I. — 1. We want[1] Bellac to say a few words before the reading of the tragedy. 2. This is neither the time nor the place to speak of love. 3. Love, however, is for Bellac a mysterious enigma, which he tries in vain to fathom. 4. He says that he will state his views in a few words; he will probably talk for[2] an hour. 5. Is it always a question of love with Bellac? 6. Yes, it is his hobby-horse.[3] 7. He says that love is the only faith that has never had an atheist. 8. A certain German philosopher makes instinct the basis and controlling factor of all our thoughts and actions. 9. I do not share[4] his opinion. 10. I spurn it with all the energy of my soul. 11. The German philosopher forgets that we have a soul; he thinks only of the ends of nature. 12. There is a higher love, invisible to the eye and not subject to time. 13. This love is the flight of purified souls into the blue infinity of the ideal. 14. Beatrice and Laura are proofs that this psychical, platonic love exists. 15. The soul is to the body what the wing is to the bird. 16. Modern science is too materialistic; it forgets the irresistible power of the ideal. 17. Bellac is still a young man[5]; that is why he says that the choice of a successor to Revel should be determined by the youth of the applicant.

[1] **vouloir que,** *followed by the subjunctive.* [2] **pendant.** [3] **marotte,** *f.* [4] **partager.** [5] **encore jeune.**

XVII

ACT II, SC. II. — 1. Répétez ce que dit la duchesse au sujet de l'accusation d'une femme. 2. Si l'accusation est vraie, que veut faire la comtesse? 3. Qu'est-ce que la duchesse veut faire en ce cas-là? 4. Et Roger, que veut-il faire, si ce dont on accuse Bellac est vrai? 5. Décrivez les quatre scènes suivantes, en parlant de l'apparition de Jeanne et de Lucy.

ACT II, SC. VII. — 6. Quand enfin Suzanne est sortie du salon, avec quelle question la comtesse l'a-t-elle accueillie? 7. Sur quoi Suzanne s'est-elle assise, quand sa cousine lui a donné l'ordre de rester? 8. Décrivez cette scène.

XVIII

ACT II, SCENES III–VII. — 1. There comes[1] the wife of the *sous-préfet*. She has evidently had enough of the tragedy. 2. Perhaps[2] she has an appointment with Bellac. 3. The fact is, she doesn't like the baldheaded old poet. 4. All the others are like her, they can't endure[3] him. 5. One verse was much applauded, but I will not quote it for fear of[4] deflouring it. 6. Jeanne does not feel very well. She has a sick headache. 7. That is not surprising, it is in the air to-night. 8. Lucy has it, too. She passes through[5] the room, pretending[6] not to see the countess, Roger, and the duchess, who are waiting there. 9. Lucy is going to the garden, in order to walk a little and get the air. 10. Do you believe that she has[7] a sick headache? 11. I wager that Suzanne will not come. 12. Nonsense! There she is now. 13. Madame de Céran used to reproach[8] Suzanne for not being[9] like Lucy. 14. Now she blames[10] her for doing[11] what Lucy has done. 15. Since everybody likes Lucy, Suzanne wishes to do as she does.[12] 16. She has studied five hours a day for the last six months, but it has availed her nothing. 17. Everybody treats her like a little girl, although[13] she is eighteen. 18. No one pays any attention to her, because she is a little French girl and not an old Englishwoman. 19. She cannot please anybody in madame de Céran's house.[14] 20. She thinks that she is[15] a burden to everybody, and so she wishes to go away.

[1] **Voilà . . . qui vient.** [2] **peut-être,** *causing inversion.* [3] **souffrir.** [4] **de crainte de.** [5] **par,** *or* **traverser.** [6] **faire semblant de.** [7] *subjunctive.* [8] **en faire un reproche à.** [9] **de ce qu'elle n'était pas.** [10] **blâmer.** [11] **parce qu'elle fait.** [12] *omit this word.* [13] **quoique,** *followed by the subjunctive.* [14] **chez madame de Céran.** [15] **Elle se croit.**

XIX

ACT III, SC. I. — 1. Décrivez le théâtre au lever du rideau au troisième acte. 2. Pourquoi la duchesse arrête-t-elle le jet d'eau? 3. Pourquoi baisse-t-elle le gaz? 4. Quel conte de fée les réponses de la duchesse vous rappellent-elles? 5. Quel est, selon la duchesse, le seul moyen d'entendre?

ACT III, SC. II. — 6. Décrivez cette scène, en parlant 1° de Lucy; 2° de Roger; 3° de Revel; 4° du poète, M. Des Millets; 5° de la Plombéïde; 6° de madame de Céran; 7° de la duchesse.

XX

ACT III, SC. II. — 1. Paul has placed a stick of wood in the hinge of the gate to act as [1] a warning signal. 2. He is not afraid of [2] the approach of some lover, but of some refugee from the tragedy. 3. Paul does not allow his wife [3] to say *tu* to him in company,[4] but she does it when they are alone. 4. The duchess and Suzanne are the only ones in the chateau that have [5] any common sense. 5. All the others are either wooden or glacial. 6. Each one has a hobby [6]: Saint-Réault with his Sanskrit legends, Bellac with his platonic love, and the old tragedian with his one pretty verse. 7. Every one has the right to compose verses, but that is not a reason for reading them to others.[7] 8. Paul used to write verses when he was a poor student. 9. Paul is getting on well with the Senator; I congratulate him. 10. He is so happy in the garden that he doesn't care whether he becomes prefect or not.

[1] **pour servir de.** [2] **craindre.** [3] *to his wife.* [4] **devant le monde.** [5] *subjunctive.* [6] **sa marotte.** [7] *omit.*

XXI

ACT III, SC. III. — 1. Pourquoi la porte fait-elle du bruit quand Bellac l'ouvre pour entrer dans le jardin? 2. Est-ce que Bellac s'étonne que la serre soit si mal éclairée? 3. Que vient-il faire au jardin?

ACT III, SC. IV. — 4. Décrivez cette scène, en parlant 1° de Bellac et Lucy; 2° de Paul et Jeanne; 3° de la duchesse de Réville et madame de Céran.

XXII

ACT III, SC. IV. — 1. You aren't going to remain, are you[1]? 2. Yes,[2] just a moment, to see what is the matter.[3] 3. Didn't I tell you so? It's a rendez-vous between Bellac and Lucy. 4. Well, she is a young English girl, and can do what she likes. 5. But, after all, she is in France, and must do as the French do.[4] 6. Give me your arm and take[5] me to the conservatory, I do not feel[6] well. 7. You cannot do that in France. What would people[7] think of[8] you? 8. I wanted to give you the proof-sheets of my new[9] book. 9. Only a fool[10] would believe in platonic love. 10. Don't speak to me of the "ego" and the "non-ego"; I cannot follow you. 11. What is the meaning[11] of the "subjective" and the "objective"? 12. If love is friendship, it is no longer love. 13. Physiological love and platonic love, as you describe[12] them, are one and the same thing. 14. He did not kiss her, he was afraid to[13]; but he has horribly compromised her. 15. He says that he will make reparation; what does he mean[14]? 16. Nobody[15] can say[16]; he always[17] makes use of[18] declarations with two ends and duplex escapement.

[1] **voyons.** [2] **Si.** [3] **ce qu'il y a.** [4] *omit.* [5] **mener** *or* **conduire.** [6] **se sentir.** [7] **on.** [8] **de.** [9] **nouveau.** [10] **Il n'y a qu'un fou qui.** [11] **signification,** *f.* [12] **décrire.** [13] **en avoir peur.** [14] **vouloir dire.** [15] **Personne ne.** [16] *insert* **le.** [17] **toujours**; *position?* [18] **se servir de.**

XXIII

ACT III, SC. V. — 1. Comment la duchesse donne-t-elle une leçon bien méritée à Paul et Jeanne? 2. Décrivez cette scène.

ACT III, SC. VI. — 3. Est-ce que madame de Céran reste encore au jardin? 4. Pourquoi s'en va-t-elle? 5. A quoi la duchesse compare-t-elle la serre de madame de Céran?

ACT III, SC. VII. — 6. Qui est Bartholo? 7. Comment la duchesse veut-elle aider le hasard? 8. Décrivez cette scène entre Roger et Suzanne.

XXIV

ACT III, SC. VII. — 1. Suzanne believes that Roger is with Lucy, and Roger believes that Suzanne is with Bellac. 2. I wonder what would happen[1] if they should meet[2] in the garden? 3. They have both gone round the conservatory, but they will finally meet each other. 4. Unless the duchess interferes, they will never get through. 5. Roger will take Bellac's place, and Suzanne Lucy's.[3] 6. She thinks that he takes her for Lucy, while[4] he thinks that she takes him for Bellac. 7. Now I understand it. It was Bellac's letter to Lucy. 8. How afraid I was! 9. Since you love her, you ought not to have told me that you didn't.[5] 10. Why did you say that you weren't going to marry her? 11. He swears that he loves her, but she does not believe him. 12. He only wished to find out[6] what her relations with Bellac were. 13. Do not be angry. I have only you to love. 14. You do not know what love is[7]; you are only a grind. 15. Science filled my life until you entered it and taught me to love. 16. I loved you without knowing it, without even[8] suspecting it. 17. If I was your teacher, I was your pupil, also, for you opened my heart to love and tenderness. 18. You have grown up in my heart, and you fill it completely now. 19. If I have offended you without wishing to,[9] if I have caused you sorrow, forgive me, and do not cry any more.

[1] **Qu'est-ce qui arriverait donc.** [2] **se rencontrer.** [3] **celle de Lucy.** [4] **tandis que.** [5] *supply* **love her.** [6] **savoir.** [7] **ce que c'est que l'amour.** [8] **même.** [9] **le.**

XXV

ACT III, SC. VIII. — 1. Racontez ce que la duchesse a fait après que Roger a déclaré son amour pour Suzanne.

ACT III, SC. IX. — 2. Quelle nouvelle vient-on annoncer à la duchesse à la fin de la lecture de la tragédie? 3. En revanche, quelles nouvelles la duchesse annonce-t-elle à l'assemblée? 4. Et Paul, qu'est-ce qu'il devient?

XXVI

ACT III, SC. IX. — 1. The evening papers announce Revel's death. 2. He dies every night[1] and resuscitates[2] every morning. 3. The newspapers have probably made a mistake. 4. I will wager that he is not only not dead[3] but has been appointed Commander of the Legion of Honor. 5. The duchess has just announced the approaching[4] marriage of Miss Lucy Watson to Professor Bellac.

6. Everybody is surprised, Bellac and Lucy more than the others. 7. But they have to make reparation according to [5] the ideas of the duchess, and she is determined on [6] this marriage. 8. Lucy seems [7] to be happy, if Bellac is not.[8] 9. I think that Bellac is almost a dishonorable [9] man. 10. The duchess adopts Suzanne and announces her intention [10] of leaving all her possessions to her. 11. That is a good match [11] for Roger, do you not think [12] so [13]? 12. What does madame de Céran say to that [14]? 13. The countess doesn't say no, but she doesn't say yes, either.[15] 14. It is Roger who settles the matter [16] by saying that he loves Suzanne and wishes to marry her. 15. Paul and Jeanne ought [17] to make reparation, but there is nothing that they can [18] do; they are already married. 16. But, after all, the duchess is not very angry [19] with them. 17. They haven't said anything bad [20] about her. 18. So [21] she forgives them, and promises [22] Paul that he shall be prefect of Carcassonne. 19. Paul kisses her hand in [23] gratitude, and Jeanne quotes Saint-Évremond. 20. All is well that ends [24] well.

[1] **tous les soirs.** [2] **ressusciter.** [3] **n'est non seulement pas mort.** [4] *omit.* [5] **selon.** [6] **tenir à.** [7] **seems to be = paraît.** [8] *insert* **le.** [9] **malhonnête.** [10] **intention,** *f.* [11] **parti,** *m.* [12] **trouver.** [13] *omit.* [14] **en.** [15] **non plus.** [16] **trancher la question.** [17] *condit. of* **devoir.** [18] *subjunctive.* [19] **fâchée,** *f.* [20] **de mal.** [21] **Alors.** [22] **promettre à.** [23] **avec.** [24] **finir.**

VOCABULARY

This vocabulary contains (1) all the French words of the text, exercises, and notes (*except a few words with nearly or quite the same spelling in French and English*), inclusive of the proper names that occur in the text and notes, with sufficient data to explain their use; (2) the few Latin substantives which occur in the text; and (3) such idiomatic expressions as are likely to cause the beginner difficulty.

A

à at, to, towards, by, for, with, in, till.

abaisser to lower, debase.

abord *m.* approach; **d'—**, first, first of all, at first, in the first place.

aborder to approach, attempt, try; **— le théâtre,** to go upon the boards; to enter the theatrical ranks (as actor or as writer).

abri *m.* shelter, protection; **à l'— de,** sheltered (*or* protected) from.

absolu absolute.

absolument absolutely, decidedly.

absorber to take up, use up, claim.

abstraction *f.* abstraction.

abuser to deceive.

accaparer to monopolize, take possession of.

accepter to accept, agree to, take.

accompagner to accompany, go with.

accord *m.* union, harmony; **d'—**, in harmony, agreed.

accorder to grant.

accouplement *m.* union, coupling.

accueil *m.* reception, welcome.

accueillir to receive, welcome; **s'—**, to greet each other.

acquérir to acquire, obtain.

acquis *pp.* of **acquérir,** acquired, gained, obtained.

acte *m.* act, action.

action *f.* action, deed.

admirablement admirably.

adopti-f, -ve adopted.

adorer to adore, worship.

adroit skillful, clever.

adroitement cleverly, skillfully.

adversaire *m.* adversary, opponent.

aérolithe *m.* aërolite, meteorite.

affaire *f.* affair, matter, business; *pl.* business, serious things; **avoir —**, to be busy, have something (else) to do; **les malins font leur —**, sly rogues attain their ends.

affecter to affect, assume, make a show (of).

affectueu-x, -se affectionate, loving.

affirmer (s') to declare oneself (*or* one's views).

affreu-x, -se frightful, shocking.

âge *m.* age; **c'est de mon —**, it is characteristic of my age; **ce n'est**

plus de mon —, it doesn't come any more at my age; at my age one is immune.

agir to act; **s' — de**, to be a question (*or* matter) of; to concern, be about.

agitation *f.* motion, movement, emotion, excitement, agitation, commotion, anxiety.

agiter to agitate, move, stir.

ah ah, oh.

ah çà well, why, what, oh ho, I say, by the way, say, listen; *to be translated as the context requires.*

aïe *sound of the voice indicative of slight, sudden pain;* oh, ah.

aile *f.* wing, pinion.

ailleurs elsewhere; **d' —**, besides, also, moreover, however, anyhow, at any rate.

aimable amiable, pleasant, agreeable, delightful, charming.

aimer to like, love; **— mieux**, to prefer, like better, like (all) the better.

ainsi thus, so; **— que**, as also, and likewise.

air *m.* manner, mien, look, appearance, air, tune; **avoir l' —** (*or* **un —**), to look (like), have the appearance (of).

aisé easy.

aisément easily.

ajouter to add.

allemand German.

aller to go, be going; to be, get on, progress, behave, conduct oneself; **s'en —**, to go away; **— jusqu'à**, to go so far as (to become).

allez, allons well, well now, oh come, go on, I assure you; **allons donc**, oh indeed, you don't mean it, nonsense, what nonsense; *to be translated as the context requires.*

allure *f.* gait, carriage; *pl.* conduct, behavior.

allusion *f.* reference, allusion; **faire — à**, to allude to.

alors then, and then, but then; **et —**, and then, but then, and so; **— comme —**, we shall see when the time comes; we won't cross that bridge until we get to it; **trois ans, —**, three years, you were saying? **non, —?** so it wasn't that?

amant *m.* lover.

âme *f.* soul, heart; **— de haut vol**, inspired soul, wingèd soul, soul with lofty aspirations.

amener to bring, lead, bring (*or* lead) forward.

ami *m.* friend, lover; **mon —**, my friend, my dear; my good man.

amie *f.* friend, love; **mon —**, my dear.

amitié *f.* friendship.

amour *m.* love; **— platonique**, Platonic love: non-sensual, spiritual love between the sexes, described and warmly advocated by Plato (429–347 B.C.) in his Symposium; **— propre**, self-love, conceit; *pl.* **amours**, *m. or f.*

amoureu-x -se enamored, in love; *subst.* lover, sweetheart.

amusant entertaining, amusing; *Journal —*, one of the most

popular French comic sheets, similar to *Puck, Judge*, or *Punch*.
amuser to entertain, amuse; **s' —** to enjoy oneself, have a good time.
an *m.* year; **à douze — s**, at twelve (years of age); **de dix-huit —s**, of eighteen; **avoir . . .** (*numeral*) **—s**, to be . . . (*numeral*).
ancien, -ne old.
ange *m.* angel.
anglais English.
Anglaise *subst. f.* Englishwoman.
animer to enliven; **s' —**, to become animated (*or* excited).
annoncer to announce.
antérieur former, earlier.
apercevoir to perceive, see, catch sight of.
apothéotique deifying.
apparaître to appear.
apparition *f.* appearance.
appartement *m.* apartment; **porte d' —**, room-door, apartment-door; door leading into a room, an apartment, or a suite of rooms.
appas *m.* charm, attraction.
appeler to call; **s' —**, to be called (*or* named); **il s'appelle**, his name is; **en —**, to appeal.
applaudir to applaud.
appliquer to apply; **s' —**, to apply oneself; to study hard; **et ce que je m'appliquais**, and the hard work I did; and how I did work; **voilà six mois que je m'applique**, for six months I have been working hard.
apporter to bring.
apprécier to appreciate.
apprendre to learn; to tell; to teach.
approbati-f, -ve approving.
approbativement approvingly.
approcher (**s'**) to approach; **s' — de**, to approach.
approfondir to fathom.
appuyé leaning.
appuyer (**s'**) to lean, be supported.
âpre rough.
après after, then, afterwards.
aptitudes *f. pl.* fitness.
arbre *m.* tree.
arbuste *m.* bush, shrub; **touffes d' — s**, dense shrubs.
archéologique archæological, of (*or* pertaining to) archæology; **Revue —**, Review of Archæology (*Parisian Monthly*).
ardeur *f.* ardor, zeal, passion.
argent *m.* silver, money.
arracher to snatch, extract, pull out.
arrêt *m.* arrest, stopping.
arrêter to stop; **s' —**, to stop.
arrière *m.* rear, back; **en —**, backward, facing backward.
arriéré *m.* arrears, balance; **un fort — à combler**, much (*or* many arrears) to make up.
arrivant *subst. m.* arrival.
arrivée *f.* arrival; **dès son —**, as soon as he gets here.
arriver to arrive, be (*or* get) here; to happen; **ils arrivent de Paris**, they have just arrived from Paris; they are here from Paris.
arrondissement *m.* **arrondissement**, district.
article *m.* article.
artiste *m.* artist, painter.
Asie *f.* Asia.
assemblée *f.* assembly.

asseoir (s') to sit down, seat oneself, take a seat.
assez enough.
assiduité *f.* assiduity, diligence; attentions.
assiéger to besiege, storm, beset.
assigner to assign, indicate, designate.
assimilation *f.* comparison.
assis *pp. of* **asseoir**, seated, sitting; — **et rangé**, seated (*or* sitting) in rows.
astreindre to force, constrain, tie down; **s'— à**, to force (*or* constrain) oneself to observe; to tie oneself down to.
athée *m.* atheist, unbeliever.
attacher to attach, hold (*or* bind) together, to tie.
attendre to wait, await, wait for, expect; **en attendant**, in the meantime; till then.
attention *f.* attention, notice; **faire — à**, to notice, take notice of, pay attention to.
attirer to attract, draw, pull.
attrait *m.* attraction, charm.
attrape *f.* catch, trick; **attrape!** caught! tricked!
attraper to catch, trick; **attrape** (*for* **attrape-toi cela**)! take that! how do you like that?
audace *f.* audacity, boldness; *pl.* boldness, freedom.
au delà *adv. loc.* beyond; *subst.* **l'—**, the hereafter, the 'beyond.'
au-dessus de above.
auditoire *m.* audience.
Augier: Émile Augier, well-known French dramatist (1820–1889).
aujourd'hui to-day; — **même**, this very day; **d'—**, to-day's.
auparavant before, first, beforehand.
auprès de near, close to, by.
aussi also, too, so, and so, as; — **bien**, as well; and indeed.
austère unattractive, forbidding.
autant as much, as many; **d'— plus . . . que**, (so much) the more . . . as; — **de perdu**, so much lost.
autel *m.* altar.
autographe *m.* autograph; **un — de lui**, his autograph.
autorité *f.* authority, prestige.
autour de around, about.
autre other, different; **les —s**, (the) others; **nous —s femmes**, we women; **ni l'un ni l'—**, neither; — **chose**, a different thing, something else.
autrefois formerly; **comme —**, as you used to.
auvergnat *m.* patois of the Auvergne, characterized by final -ah sound.
Auvergne *f.* old French province, now in the depts. Puy-de-Dôme, Cantal, and Haute-Loire.
avaler to swallow.
avance *f.* advance, loan; **les —s à prendre**, the (present) supply (of caresses) for the future.
avancer to advance, approach; **s'—** to advance, approach.
avant before; — **que**, before.
aventure *f.* adventure, episode, love affair.
avoir to have; — **raison** (**tort, froid, chaud, peur**), to be right (wrong,

cold, warm, afraid); — **beau,** to be in vain, be useless; **vous avez beau faire,** it is useless (*or* in vain) for you to (try to) do anything; no matter what you do, it will be useless; **il y a,** it is, there is (*or* are); ago; the matter is; is wrong; has happened; **il n'y a qu'à la voir,** you need only to see her; **il y a beau jour qu'à son âge,** long before her age; **il y a quinze ans que ma pièce est faite,** my play was finished fifteen years ago; **il y a beau jour que je le connais,** I have known him for many a day; **qu'est-ce qu'il y a?** what is the matter? what is wrong? what has happened? **qu'est-ce qu'il a?** what is the matter with him? **qu'avez-vous** (*or* **qu'est-ce que vous avez**)? what is the matter with you?

avouer to confess, admit.

B

baccalauréat *m.* baccalaureate: degree taken by the graduate of the French Lycée as a condition of admission to the university, professional, and technical schools. It confers the titles of **bachelier ès lettres** and **bachelier ès sciences.**

badiner to jest, joke.

bah pshaw, bah.

baie *f.* bay, bay-window.

bâiller to yawn.

bâilloir *m.* word formed from **bâiller** on the analogy of **parloir, miroir, tiroir, dortoir,** etc.; perhaps best translated by 'dormitory.'

baiser *m.* kiss.

baiser to kiss.

baisser to lower, turn down, bring down.

bal *m.* ball.

ballottage *m.* ballot, second ballot.

banquise *f.* ice-floe.

baron *m.* baron.

baronne *f.* baroness.

Bartholo: character in the **Barbier de Séville** of Pierre Augustin Caron de Beaumarchais (1732–1799); type of the jealous guardian who wishes to marry his young ward.

bas, basse low, soft.

bas *m.* bottom, foot; **au —,** at the bottom; **en —,** below, downstairs.

bas softly, in a low tone.

base *f.* basis, foundation.

basse *f.* bass; **faisant la —,** like the bass (of an orchestra).

bataille *f.* battle.

battre to beat, strike.

bavard, talkative; a gossip, a chatterbox.

Béatrice: Béatrice Portinari, a Florentine lady immortalized by Dante in the *Divine Comedy;* lived 1266–1290.

beau, bel *m.*, **belle** *f.* beautiful, handsome, fine; **avoir beau,** to be in vain, be useless, be (of) no use, make no difference.

beaucoup much, a great deal; **— de,** much, many.

beauté *f.* beauty.

Beethoven: Ludwig van Beethoven, great German musical composer; his compositions, all of preëminently classic character, are 138 in number; of these the most famous are the nine symphonies, numerous sonatas, and his only opera *Fidelio*.

bégaiement *m.* stammering.

bénéficier to profit.

besoin *m.* need; **avoir — de,** to need.

bête silly, stupid, foolish; **— comme,** (as) stupid as.

bêtise *f.* stupidity, anything foolish, foolish thing.

Bhagavata *m.* Bhagavata, one of the Puranas.

biblique biblical, of the Bible.

bien *m.* possessions, property; good; **ni — ni mal,** neither good nor evil.

bien well, right, all right, good, nice, comfortable, very, much, really, indeed, it is true; *to be translated as the context requires;* **cela fait —,** that makes a good impression; **c'est —, cela,** that's good, that's fine; **c'est — cela,** that's it, you have described him; **c'est —, merci,** all right (*or* that's all), thank you; **il a été très —,** he was very courteous (*or* agreeable); **qu'il est —,** how handsome he is, what a fine-looking man; **elle va —,** she is well, she is getting along well, she is doing well, she is progressing rapidly, (*iron.*) she is behaving nicely, I must say.

bien que although; **aussi —,** as well as.

bientôt soon.

bienvenu welcome; **soyez la —e,** be welcome.

billet *m.* ticket, note, letter.

binocle *m.* lorgnette.

Blanc: Charles Blanc, art critic, author of **Histoire des peintres** (1813–1882).

blesser to wound, hurt, offend.

bleu blue.

bleuâtre bluish.

boire to drink; **— les paroles,** to listen eagerly; **je vais vous chercher à —,** I am going to get you a drink (*or* something to drink).

bois *m.* wood; **en —,** wooden.

bon, bonne good, kind, pleasant, good-natured, easy.

bondir to spring (*or* jump) up; to start.

bonheur *m.* happiness, luck.

bonjour *m.* good day, good morning.

bonté *f.* goodness, kindness.

bonze *m.* bonze: a Buddhist priest.

Bossuet: Jacques Bénigne Bossuet, French bishop of Meaux, famous as a pulpit orator (1627–1704).

bouche *f.* mouth.

Bouddha *m.* Buddha (*the Sage*), appellation of Gautama Siddartha, the legendary founder of the Buddhist religion, VIth century B.C.; said to be an incarnation of Vishnu.

bouddhique Buddhist, Buddhistic.

bouder to pout, be vexed at.

bouquet *m.* bouquet; also the final combination in an exhibition of fireworks, whence, by extension: climax.

bourdonnement *m.* buzzing.

bourdonner, to buzz, hum.

bout *m.* end, extremity.

boutonnière *f.* buttonhole.

Brahma *m.* Brahma (member of the Trimurti, or Hindoo Trinity), *or* Brahm (the Divine Essence, the One First Cause, the All in All).

Brahmanas *m. pl.* Brahmanas; exegetic prose works, one for each of the four Vedas, containing rituals and numerous legends.

Brahme *m.* Brahman: priest of the highest order among the Hindoos; written also Brahmana, Brahmin, Brahmine, in French, and Brahmin in English.

bras *m.* arm; **je n'ai ni — ni jambes,** I am paralyzed (*or* unnerved); I am exhausted (worn out *or* used up).

braver to brave, defy, spite.

bref, brève short, brief.

bref in short.

brochure *f.* pamphlet, brochure.

brrr *sound of the voice, indicative of repulsion, as from sudden cold.*

bru *f.* daughter-in-law.

bruit *m.* noise, sound; notoriety, report, rumor; **beaucoup de — pour pas grand'chose,** much ado about nothing.

brûler to burn.

brume *f.* fog.

brusquement suddenly, quickly, abruptly.

bruyamment noisily, loudly.

bruyant noisy, loud.

buisson *m.* bush, thicket.

but *m.* end, aim.

C

çà here; **ah —,** well, why, what, oh ho, I say, by the way, say, listen; *to be translated as the context requires.*

ça that; (*pejorative use for persons*) he, she, that fellow; **c'est —,** that's it; **c'est . . . , —,** that is . . .; **comme —,** this (*or* that) way; anyhow; as it is (*or* was).

cabinet *m.* cabinet.

cabotin *m.* poor actor, strolling player.

cache-cache *m.* hide and seek.

cacher to hide; **se —,** to hide (*or* conceal) oneself; to do something secretly; **je ne m'en cache pas,** I do not try to conceal them.

cachette *f.* concealment, hiding-place.

cadavre *m.* corpse.

cadeau *m.* gift, present.

cahier *m.* notebook; **— de notes,** notebook.

cailletage *m.* gossip, tittle-tattle.

calcul *m.* calculation; selfishness.

Calcutta: capital of Bengal and of British India, on Hugli River; pop. 1,122,000.

câliner to caress, fondle, pet.

calme quiet, calm.

calme *m.* calmness, tranquillity; **avoir du —,** to be composed, not to show excitement; **du —!** be composed! don't show any excitement! **on ne peut plus — (s),** as calm as *can* be.

calmer to calm, tranquilize.

canapé *m.* sofa, divan.

candeur *f.* candor, simplicity; **— va!** how naïve you are!

candidature *f.* candidacy, application for office; **poser sa —**, to announce one's candidacy, come out as a candidate, run for office.

canne *f.* cane.

captivant captivating, charming.

captiver to captivate, take captive, charm.

car for.

caractère *m.* character, distinguishing trait.

Carcassonne: French manufacturing city, capital of the department Aude, on Aude River; pop. 31,000.

carie *f.* caries (*med.*); ulceration (of bone).

carré square.

carreau *m.* window-pane; **regarder par le —**, to look out of the window.

carrière *f.* career, vocation.

carte *f.* visiting card; **mettre des —s**, to leave cards (*or* one's card).

cas *m.* case, event; **en tout** (*or* **tous**) **—**, at any rate, in any event, at all events; **le — échéant**, if that happens; if anything happens (to Revel).

cause *f.* cause, case, circumstance; **à — de**, on account of.

causer to talk, speak, chat.

causerie *f.* talk, conversation, chat.

ce, c' it; this, that; he, she, they; **— que, — qui**, that which; what; **c'est que**, the fact is; you must know; it is because.

ce, cet *m.* **cette** *f.* **ces** *pl.* this, that, these, those.

ceci this.

céder to yield, give in (*or* way).

cela that; **pour —**, for that (reason), on that account; **c'est donc pour —**, that is why; **c'est —**, that's it; that is right; **c'est bien, —**, that is good; **c'est bien —**, that's it; you have described him; **avec —**, with that, besides (that); and then; then, too; **comme —**, like that; that way; **sans —**, were it not for that; had it not been for that.

célèbre famous.

celui (*pl.* **ceux**) *m.* **celle** (*pl.* **celles**) *f.* this one, that one; *pl.* these, those.

cent hundred.

cependant yet, still, nevertheless, however.

certainement certainly; of course.

certes certainly, indeed.

chacun each, each one.

chagrin *m.* sorrow, grief, vexation; **avoir du —**, to be unhappy; **faire du — à**, to grieve.

chaise *f.* chair.

chaleur *f.* heat, warmth.

chambre *f.* room, bedroom; **femme de —**, maid; **musique de —**, chamber music.

Chambre *f.* Chamber of Deputies, House of Representatives; called also **Palais du Corps Législatif** and **Palais-Bourbon.** It is situated on the left bank of the Seine, facing the **Place de la Concorde.** It was begun by the Duchess of Bourbon, became national property in 1790, and is now used for the sessions of the Deputies (*or* Representatives)

champignon *m.* mushroom; upstart.

chanceler to waver, vacillate, be unsteady.

chancelier *m.* chancellor; **lord —**, lord high chancellor of England: the presiding judge in the court of chancery, the highest judicial officer of the crown.

changer to change, **pour —**, for a change, for the sake of variety.

chanter to sing; to sing of; to extol.

chaperon *m.* hood.

chaque each, every.

charge *f.* burden, office, duty; **être à — de**, to be a burden to; **avoir — d'âmes**, to be in a pastoral relation, to be responsible for the cure of souls.

charger to charge, order, burden, commission; **se — de**, to undertake, take (it) upon oneself.

charmant charming, delightful, dear, darling.

charmeur *m.* charmer, enchanter.

chasser to send away, turn out of doors.

château *m.* castle, palace, mansion.

chaud warm, hot.

chaud *m.* heat; **avoir —**, to be warm; **faire —** (*of the weather*), to be warm.

chauve bald, baldheaded.

chef *m.* chief, head.

chemin *m.* way, road; **par les — s**, traveling, going about; **courir les — s**, to gad about; **reprendre son —**, to go on; **— de fer**, railway, train.

cher, chère dear.

chercher to seek, search, look, look for; to try; to try to find out; **je vais vous — à boire**, I am going to get you a drink (*or* something to drink); **cherchez toujours!** keep on looking!

chérie *f.* dear, darling, beloved.

chevalier *m.* knight (of the Legion of Honor).

chevelure *f.* hair, head of hair.

cheveux *m. pl.* hair.

chez at (to *or* in) the house (*or* room) of; at (*or* in) . . . 's house; at . . . 's; with, among.

choisir to choose, select.

choix *m.* choice, selection.

chose *f.* thing, affair, matter; **grand'chose**, considerable; **pas grand'chose**, trifle, nothing; **quelque —**, something, anything.

chut hush!

-ci (*hyphenated to preceding word for emphasis or clearness*), here, on this side, near by.

ciel *m.* sky, heaven, heavens; **en plein —**, in the seventh heaven; in the midst of paradise.

cime *f.* summit, top; **aux —s**, to the heights; on high.

cinq five.

cinquante fifty.

circuler to move about.

citation *f.* quotation.

citer to quote.

clair plain, clear; *adv.* plainly, clearly.

claquer to resound; **faire —**, to cause to resound, make the sound of, make, produce.

classe *f.* class, lesson, lecture.

cloche *f.* belle ; **coup de —**, stroke of a bell.
cochon *m.* pig ; **— d'Inde,** Guinea pig.
cœur *m.* heart ; **un — sec, a** hard, unfeeling person ; **avoir du —**, to have a heart, be warm hearted (*or* affectionate) ; **avoir le — net,** to understand (all about it), clear (it) up, ease one's mind.
coin *m.* corner, corner seat (in a railway carriage).
colère *f.* anger, rage ; **avec —**, angrily.
coller to stick, glue ; to stump, flunk (in an examination).
colonial colonial ; **Revue — e,** Colonial Review, now published under the direction of the **ministère des colonies,** Paris.
combien how; **— de,** how much, how many.
combiner to combine, arrange, contrive ; **est-ce assez combiné ?** isn't that a clever contrivance ?
combler to fill, fill up, heap up, overwhelm; **un fort arriéré à —**, much (*or* many arrears) to make up.
comme as, like, how, as if, as though, as it were ; **— cela,** like that ; that way ; **— ça,** like that ; that way ; anyhow ; as it was.
commencer to begin, commence ; **c'est commencé,** they have begun.
comment how, why, what, how so ? **— faire ?** what is to be done ? what shall I do ? **— donc ?** nonsense ! what a question ! how can you ask ?
commun common, vulgar.
communiquer to communicate.
comparé comparative.
compilateur *m.* compiler, collector.
compliment *m.* compliment ; **mes —s,** I congratulate you ; congratulations.
complot *m.* plot.
comporter to be attended by, be exposed to.
comprendre to understand, comprehend.
compromettre to compromise, expose to suspicion.
compte *m.* count, account, reckoning, number ; **— rendu,** report ; **mon — y est,** my reckoning is correct, that's just the number (of headaches), that's the last one ; **se rendre — de,** to realize.
compter to count, count upon, expect.
comte *m.* count ; **monsieur le —**, (the) count.
comtesse, *f.* countess ; **madame la —**, (the) countess.
concept *m.* concept.
concevoir to conceive.
conclure to conclude.
concretum (*Latin*), *m.* essence.
concurrence *f.* competition, rivalry.
conduire to conduct, lead, take, show ; **se —**, to behave, act.
conduite *f.* conduct, behavior, guidance.
conférence *f.* conference, lecture, talk ; **en — avec,** conferring with, having a conference with.
confiance *f.* confidence.
confondre to confound, dismay, overwhelm.

confrère *m.* colleague, confrère.
confus disconcerted, confused.
confusion *f.* blending, fusion, confusion.
congénère kindred, congeneric.
connaissance *f.* acquaintance, knowledge; **en — de cause**, knowingly; with full knowledge; not in ignorance.
connaître to know, be acquainted with; **se — à**, to know something about, be a good judge of; **je m'y connais mieux que toi**, I know more about it than you.
connu *pp. of* connaître, known.
conscience *f.* conscience, consciousness; **avoir — de**, to be conscious of; to realize.
consentir to consent.
conséquence *f.* consequence, result.
conséquent *m.* conclusion, consequence; **par —**, consequently.
conservateur, conservatrice conservative.
conservateur *m.* conservative, adherent of the conservative party; **les —s**, the conservatives, the conservative party; (newspaper) organ of the conservative party.
Conservatoire *m.* Conservatory (of Music and Declamation, Paris); higher training-school of vocal and instrumental music and dramatic and lyrical declamation. Its graduates constitute the eligible list of actors and opera-singers of the national theaters.
conserver to preserve, save, keep.
considérable eminent.
considéré highly esteemed, famous.
considérer to consider, esteem.
consommé *m.* consommé, a clear, rich broth (*or* bouillon).
consterné in consternation; **dans un silence —**, in silent consternation.
contempler to contemplate.
contenir to contain, restrain.
content glad, happy, contented; **c'est moi qui suis —e!** how glad I am!
contenu *pp. of* **contenir**, contained, restrained.
continuer to continue.
contraire *m.* opposite; **au —**, on the contrary; not at all.
contrarier to oppose, cross, vex.
contre against, towards.
contrefaire to imitate, disguise.
contrefait *pp. of* **contrefaire**, disguised.
convaincre to convince.
convaincu *pp. of* **convaincre**, convinced.
convenable proper, fitting, becoming.
convenance *f.* propriety, decorum.
convenir to agree, acknowledge, suit.
convenu *pp. of* **convenir**, agreed, settled.
coquetterie *f.* coquetry.
coquin *m.* rogue, rascal.
coquine *f.* rogue, hussy.
cornac *m.* showman, manager; *properly*, mahout: keeper and driver of an elephant.
corps *m.* body; (the) physical (*or* material).
correspondre to correspond.
corridor *m.* corridor, hall.

côté *m.* side, flank, direction; **à — de,** beside, next (door) to; at (*or* to) the side of; **de —,** from the side, with a side glance, askance; **du — de,** in the direction of; towards; **de ce —,** on this side, in this direction; this way, over here; **de l'autre —,** on the other side, in that direction; the other way, over there.

cou *m.* neck; **elle se jette à son —,** she throws her arms round his neck.

couche *f.* bed, layer, stratum.

coucou *m.* cuckoo; **coucou!** peekaboo!

Coulanges Madame de Coulanges, distinguished lady of the XVIIth century, wife of the marquis de Coulanges (the cousin and friend of madame de Sévigné).

couler to flow; **se —,** to slip, glide, go furtively.

couleur *f.* color; **sous — de,** under the pretext of.

coulisse *f.* wing, side-scene, coulisse.

coup *m.* blow, stroke; bell, call; **— sur —,** repeatedly; in quick succession; **tout à —, tout d'un —,** suddenly, all at once; **— de tête,** inconsiderate act; freak.

coupable guilty, culpable.

couper to cut, cut off, shave off; **à ce qu'il n'est pas coupé,** by its not being cut.

couple *m.* couple, pair.

cour *f.* court; **faire la — à,** to court; to make love to.

courir to run; **— les chemins,** to gad about.

couronner to crown.

courroux *m.* anger, wrath.

cours *m.* course, lecture, course of lectures; **faire un —,** to give a course of lectures, to lecture; **Revue des cours** (**et conférences**), School Review (*Parisian weekly*).

court short.

courtiser to court.

cousin *m.* cousin.

cousine *f.* cousin; **ma —** (*in direct address*), cousin.

coûter to cost.

couvent *m.* convent, convent school.

couvert. *See* **couvrir.**

couverture *f.* cover, cloak, plaid.

couvrir to cover, cover up, conceal; **à mots couverts,** cautiously, with veiled words, making no direct accusation.

craindre to fear.

cri *m.* cry, creak; **pousser un —,** to utter a cry, give a creak; to squeak, squeal.

crier to cry, creak.

critique *f.* criticism.

croire to think, believe; **— à,** to believe in, have confidence in; **à ne pas —,** incredible; **je crois bien,** I should think so; (*here*) I should say not; **je crois pouvoir . . .** I think that I can. . . .

croix *f.* cross.

cru *m.* growth, production, fabrication.

cruel, -le cruel; *subst.* cruel one.

cueillir to pluck.

culte *m.* cult, worship.

curieu-x, -se curious, strange; **voilà qui est —,** well, that is strange.

cyniquement unblushingly.

D

dame *f.* lady.

dame indeed, well, certainly, why yes, of course; —, **mes yeux**! dear me, my eyes (are so bad)!

dans in, into, within, among, at; at the end of.

Darwin: Charles Robert Darwin, famous English naturalist, 1809–1882.

davantage more.

de of, by, from, to, with, in, on, upon, about, out of, for, at.

de (*sign of the partitive noun*) some, any.

débarrasser to free, disembarrass; to clear (a room *or* hall); **monsieur . . . veut-il se** — ? will . . . permit me to take his things?

débat *m.* debate; **Journal des Débats** (*founded in 1789*), Parliamentary News, one of the best and most serious Parisian dailies.

débordé overwhelmed (with work).

déborder to overflow.

décent proper, modest, decent, respectable.

décevant deceptive.

déchiffrer to decipher.

déchirer to tear, tear up, tear to pieces.

décidément positively, decidedly, certainly.

décider to decide, settle.

déclamer to declaim, recite.

déclaration *f.* statement, declaration (of love), proposal.

déclarer to declare.

décolletée wearing a low-necked dress; décolleté.

décor *m.* decoration, scenery.

découverte *f.* discovery.

découvrir to discover, detect, find out.

décriver to describe.

dédommagement *m.* compensation.

défaire to undo, unpack; **se** —, to be unmade.

défendre to forbid, refuse, deny, defend; **se** —, to defend oneself; to object, protest; **il ne faut pas vous en** —, you don't need to deny it.

déflorer to deflour.

dégager to free, disengage; **se** —, to free (*or* disengage) oneself.

déguiser to disguise, conceal.

dehors *m.* exterior; **au** (**en** *or* **du**) —, outside.

déjà already; so soon; now; a little; **j'aime — mieux cela**, I like that a little better.

dela: **au** —, beyond; *subst.* **l'au** —, the hereafter, the 'beyond'; **par** —, beyond.

délai *m.* delay, interval; **dans le plus bref** —, as soon as possible.

délicat dainty, fastidious, refined; *subst. m. pl.* people of refined tastes, cultured people.

délicatesse *f.* refinement, culture, delicacy.

délicieu-x, -se delightful, charming.

demain to-morrow.

demander to ask, beg, request.

democratique democratic.

demoiselle *f.* young lady, girl.

dénimber (*lit.* to take the nimbus from), to desecrate, unhallow, mortalize.

dénoncer to denounce, announce, proclaim.
dénouement *m.* catastrophe, dénouement.
dent *f.* tooth.
dentiste *m.* dentist.
déparer to spoil, mar, disparage.
départ *m.* departure (*here*, for war).
département *m.* department, province (one of the eighty-seven divisions of the territory of France).
dépasser to exceed, surpass.
dépêche *f.* telegram.
dépendre to depend.
dépit *m.* spite, despite; **en — de**, in spite of; despite.
déplacement *m.* displacement, change (of residence).
déplier to unfold.
déposer to place, put.
dépositaire *m.* depositary, guardian.
dépôt *m.* deposit, trust, delivery, handing in.
dépouiller to lay aside, put off.
dépravation *f.* depravity.
depuis since, for; **qui y est — deux ans**, who has been here for two years.
député *m.* deputy, representative.
déranger to disturb, disarrange.
dernier, dernière last, latest, final.
derrière behind, after.
des some.
dès from, since, at, on; **— que**, as soon as; **— son arrivée**, as soon as he gets here.
désappointé disappointed, sorrowful.
descendre to come down; **— (en scène)**, to come forward, come toward the footlights.
désigner to designate, point to, describe, call.
désobéir to disobey.
désolé disconsolate, sorry.
désormais henceforth, from now on.
dessein *m.* design, plan.
dessus on, over, above; on it; **là-—**, on (over, above, about) it (*or* that); **au — de**, above.
détail *m.* detail, trifle.
détailler to expose (give *or* make) in detail; **détaille !** one at a time ! not all at once !
détourner (se) to turn away (*or* aside).
deux two; **tou(te)s les —**, both; **et de —**, and that's no. 2.
devant before, in front of; **— le monde**, in company.
devenir to become, get, grow fall.
deviner to guess.
devoir *m.* duty.
devoir to owe, be the duty of, be obliged, be bound, be going; should; must; ought; be to; *condit.* ought.
diable *m.* devil, deuce; **que —**, by Jove; let me tell you !
dicter to dictate.
dieu *m.* god.
Dieu *m.* God; **mon —**, goodness, gracious, mercy, why !
digne worthy.
digression *f.* digression; anecdote; any deviation from the matter in hand.
diminuer to decrease, lessen.
dîner *m.* dinner.

dîner to dine, have dinner.

diplomatique diplomatic, of (*or* pertaining to) diplomacy ; **Revue —**, Foreign Bulletin (*Parisian weekly*).

dire to say, tell, speak, express, mean ; **vouloir —**, to mean ; **c'est à — (que)**, that is to say ; that is; the fact is ; that means ; I tell you ; **il n'y a pas à —**, there's no use talking ; **c'est tout —**, that tells you enough, that tells the whole story ; **comment dirai-je ?** what shall I say ? how shall I express it ? **je vous le disais bien !** I told you so ! **quand je te disais !** what did I tell you ! didn't I tell you so ? **dis donc**, say, I say, eh !

directeur *m.* principal, director.

direction *f.* management, principalship, position as principal.

discuter to discuss.

disparaître to disappear.

dispensateur *m.* distributer, dispenser.

disposer to arrange, put in order ; **se —**, to prepare.

disposition *f.* disposal ; **à votre —**, at your service.

dissimuler to disguise.

distingué distinguished.

distinguer to distinguish, see clearly.

distraction *f.* diversion.

divers diverse, divers.

dix ten.

dix-huit eighteen.

doigt *m.* finger.

domestique *m. and f.* servant.

dominer to dominate, rule.

donc then, therefore, and so, but, why, do, please, pray, of course, anyhow, tell me ; *to be translated as the context requires ;* **où — ?** but where ? **venez —**, come on ; **allez —**, go on ; **dis —**, say, I say, eh ; **allons —**, oh, come ; nonsense ; **comment — ?** nonsense ! what a question ! how can you ask ? **comprenez —**, do understand ; **tu as — oublié,** you haven't forgotten, have you ? **huit renseignements, —**, eight descriptions (*or* pieces of information), of course.

donner to give ; **— sur**, to look out upon, open on ; **se —**, to abandon oneself, give oneself up, yield.

dont of which, of whom, whose.

dormir to sleep.

dortoir *m.* dormitory.

dos *m.* back.

double double, twofold.

doublé de lined with, plated with ; *fig.* with the heart of.

doucement softly, gently ; a little.

douceur *f.* gentleness, mildness, benevolence, softness.

douleur *f.* grief, pain, sorrow.

douloureusement sorrowfully.

douloureu-x, -se, painful, sorrowful.

doute *m.* doubt ; **sans —**, without doubt ; of course ; I suppose.

douter to doubt ; **se — de**, to suspect ; **je m'en doute**, I think I know ; I have my suspicions.

dou-x, -ce sweet, gentle, soft.

douzaine *f.* dozen.

douze twelve.

droit *m.* right; **de —**, rightfully, by rights; **un — de plus**, an additional right.

droit right, straight, erect.

droit *adv.* straight, right.

droite *f.* right, right hand (*or* side); **porte de —**, door at (*or* on) the right.

drôle funny, queer; *subst.* rogue, little rogue.

duc *m.* duke.

duchesse *f.* duchess.

Dumas: Alexandre Dumas, son of the novelist; well-known dramatic author (1824–1895).

dur hard, difficult.

durer to endure, last; **ça durera ce que ça pourra**, come what may; whatever happens; no matter how long (*or* how short) it may be.

E

eau *f.* water; **— sucrée**, sweetened water; **jet d'—**, fountain; **pièce d'—**, pond, fish pond.

éblouir to dazzle.

ébouriffer to disorder (the hair by running the fingers through it); to rumple, tousle.

échanger to exchange.

échappement *m.* escapement; **à —**, with an escapement.

échapper to escape; **s'—**, to escape, run away.

échéant falling due, happening (fortuitously); **le cas —**, if that happens; if anything happens (to Revel).

éclair *m.* light, flash.

éclairer to illuminate, light; to explain, enlighten.

éclat *m.* burst, explosion, celebrity; **sans —**, inconspicuously.

éclater to burst, burst out, explode; **— de rire**, to burst out laughing (*or* in a laugh).

école *f.* school; **Jeune École** (fictitious title), Collegiate Institute.

École Normale: **École Normale Supérieure**, higher training-school for prospective teachers of lycées, Paris.

écouter to listen, listen to; **écoute-moi ça**, just listen to that.

écrier (s') to cry out.

écrire to write; **s'—**, to correspond.

écriture *f.* writing; **— renversée** mirror-writing, writing backward (*or* backward writing); writing resembling the reflection of ordinary writing in a mirror.

écrivain *m.* writer, author.

éditeur *m.* editor, publisher.

effaré frightened, confused.

effaroucher (s') to be (*or* become) startled (*or* frightened); to take umbrage (**de**, at).

effet *m.* effect, result; **en —**, indeed; it is true; **je manque mon —**, I fail to make a hit; I fail to score.

effort *m.* exertion, endeavor.

effrayer to frighten.

effroi *m.* fright.

effronterie *f.* boldness, impudence.

effusion *f.* effusion, gush; **avec —**, effusively, gushingly.

égal equal, even; **c'est —**, it's all

the same, it's all one, it doesn't matter, it makes no difference, I don't care.

également equally, likewise.

égaler to equal.

égard *m.* consideration, respect; **à l'— de,** concerning, in regard to, with respect to, about.

égarement *m.* madness.

église *f.* church.

eh eh, oh.

eh bien well; —, **alors,** well, what then? well then.

électeur *m.* elector.

élève *m. and f.* pupil.

élever to bring up, raise, lift, train.

elle she, her, it; **pour —s,** for them, for themselves.

éloge *m.* eulogy, praise; **pas de plus bel —,** no greater praise.

éloigner (s') to go off, move away.

Elvire: Elvire (*or* Julie), a woman of great beauty, whom Lamartine (French writer, political leader, orator, and poet, 1790–1869) met in his rambles round the beautiful Lac de Bourget, near Aix-les-Bains in Savoy.

emballé unrestrained, unreserved.

embarras *m.* embarrassment.

embarrasser to embarrass.

embrasser to kiss; **rien qu'à l'—,** merely from kissing her; **qui est-ce qui s'embrasse ici comme ça?** who kisses like that here, anyhow?

emmener to take away, lead off.

émotion *f.* emotion, feeling.

émouvoir to move, excite.

émoustiller to stir up.

empêchement *m.* hindrance, obstacle.

empêcher to hinder; **s'— de,** to refrain from; to help.

employer to use, make use of, employ.

emportement *m.* passion, rage.

emporter to take away, carry off; **s'—,** to get angry.

empressement *m.* ardor, solicitude, concern, eagerness; **avec —,** eagerly, solicitously.

empresser (s') to be eager; to hasten, hasten to say; to be very attentive (to one's wants *or* pleasures).

ému *pp. of* **émouvoir,** moved, stirred, agitated, touched.

en of it, of them, some, any; *often to be omitted in translating, especially when the antecedent is indefinite or post positive.*

en in, into, with, by, as, like; *often to be omitted in translating a present participle.*

enceinte *f.* enclosure, precinct, premises.

encombrer to encumber, obstruct, litter.

encore still, yet, again, else, more, besides, even so, even then, as yet; *to be translated as the context requires;* — **une fois,** once more; again; — **cinq minutes,** five minutes more; — **plus loin?** still further?

endormir to put to sleep; **s'—,** to go to sleep.

endroit *m.* spot, place.

énergie *f.* energy, might, force.

enfant *m. and f.* child, boy, girl; **mon —**, my boy, my girl, my child, my dear; **qu'elle est —!** what a child she is! how like a little girl she is!

enfin at last, finally, well, indeed, anyhow, at any rate, in short, why; *to be translated as the context requires.*

engager to invite, engage, advise; **je t'engage à te plaindre,** I should complain, if I were you.

engeance *f.* brood.

engourdissement *m.* torpor, stupor.

énigme *f.* enigma, riddle.

ennemi de opposed to.

ennui *m.* boredom, ennui.

ennuyer to weary, tire, bore; **s'—,** to be wearied (tired *or* bored); **le monde où l'on s'ennuie,** society in which one is bored; tiresome society.

énorme huge, immense, enormous.

enseigner to teach, show.

ensemble together.

ensuite then, after that.

entendre to hear, understand; **c'est entendu,** it's agreed; **bien entendu,** of course; **je n'y entends goutte,** I don't know a thing about it; **faire — à,** to make understand, give to understand.

entier, entière whole, entire.

entité *f.* entity.

entourer to surround.

entraîner to carry off, take away, drag off.

entre between, among.

entrée *f.* entrance.

entrer to enter, come in, come, go.

entrevoir to get a glimpse of, have a faint conception of.

entr'ouvrir to open slightly, leave ajar.

enveloppant enveloping, caressing.

enveloppe *f.* envelop.

envelopper to envelop.

envers to, towards, with regard to.

envie *f.* desire, envy, mind, notion.

envieu-x, -se envious; *subst.* envious person.

envolement *m.* flight.

envoyer to send.

épais -se thick, dense.

Épaminondas: Epaminondas, Theban statesman and general, who, when mortally wounded, replied to some who expressed regret that he left no posterity: "Je laisse deux filles immortelles: Leuctres (*Leuctra*) et Mantinée (*Mantineia*)."

épanchement *m.* effusion, outpouring.

épandre to spread, spread out, pour out, scatter.

épargner to spare.

épaule *f.* shoulder.

épeler to spell.

épier to spy, spy out (*or* on), watch.

épouser to marry.

épouvantable frightful, terrible, fearful, awful.

éprendre (s') de to fall in love with.

épreuves *f. pl.* proof, proof-sheets.

éprouver to feel, experience.

épurer to purify.

espèce *f.* species, kind.

espérance *f.* expectation, hope.

espérer to hope, hope for, expect; **j'espère bien,** I hope, I expect.

espoir *m.* hope.
esprit *m.* spirit, wit, mind, intelligence, sense, judgment.
esquiver (s') to sneak away, slip out.
essayer to try.
essor *m.* free range.
essuyer to dry, wipe away.
esthétique *f.* æsthetics.
estimer to esteem.
et and; **— . . . —**, both . . . and.
établir to establish.
éteindre to put out, extinguish; **s'—**, to die out (*or* away); to diminish gradually.
éternellement eternally, for ever.
éterniser (s') to delay (*or* remain) for ever.
éther *m.* ether.
étincelle *f.* spark, electric spark.
étonnant astonishing, surprising.
étonné astonished, surprised; in astonishment.
étonnement *m.* astonishment.
étonner to astonish.
étouffer to smother, stifle, suffocate; **s'—**, to smother each other (with kisses).
étourdi thoughtless, giddy.
étranger *m.* stranger, guest.
étrangeté *f.* strangeness.
être to be; to exist; to go; **— à**, to belong to, be —'s; **— à tout le monde**, to be everybody's; **ne sera à personne**, shall be nobody's; **elle est à moi**, it is mine; **en — à**, to be so far as, be so bad; to have gone so far as; **où ils en sont**, how far they have gone; how bad things are; what their relations are; **ils n'en sont que là**, they are no further than that; things are no worse than that; **y —**, to understand it; to have it; **j'y suis**, I have it; I understand it; **y — pour (quelque chose)**, to have something to do with it, have some part in it; **— bien**, to be well, be comfortable, be all right, be courteous (*or* agreeable), be handsome (*or* fine-looking); **— mieux**, to be better, be more comfortable; **c'est que**, the fact is; you must know; it is because; **n'est-ce pas?** is it not so? am I not? are you not? do you not? will you not? **n'est-ce pas que tu m'aimes?** you do love me, do you not? **qu'est-ce que c'est que cela?** what is that?
être *m.* being.
étrier *m.* stirrup; **le pied à l'—**, the foot in the stirrup; a stepping-stone.
étroit narrow, close.
étude *f.* study, investigation.
étudiant *m.* student (of a higher institution of learning).
étudier to study.
Euripide Euripides, famous Greek tragic poet (480–406 B.C.).
eux they, them.
évadé *m.* fugitive.
évader to evade, flee from.
éveiller to awaken; **s'—**, to wake up.
événement *m.* event, occurrence; **à tout —**, in any event.
évidemment evidently.
éviter to avoid, shun.

exagérer to exaggerate.
excellent fine, excellent, good-hearted.
excuse *f.* excuse, apology; faire des —s, to express regret; to regret, apologize.
excuser to excuse, pardon; s'—, to excuse oneself; to beg pardon, apologize.
exemple *m.* example; **par —**, really, indeed, by all means, by no means, I must say, I assure you, nonsense; *to be translated as the context requires.*
exiger to demand, exact.
exilé *m.* exile.
expansi-f, -ve free, easy, unreserved, expansive.
expansion *f.* ease, freedom, effusion, outpouring, expansion.
expliquer to explain, interpret.
exposer to explain, expose, lay before.
exprès purposely, on purpose.
exprimer to express.
exquis fine, exquisite, charming.
extase *f.* ecstasy.
extrait *m.* extract, selection.
extrêmement extremely.

F

fable *f.* fable, fairy tale; **fable!** incredible!
face *f.* face; **en — (de)**, opposite; **regarder en —**, to look straight at, look closely at; **parler en —**, to speak to (*or* in) one's face; to speak, standing opposite (*or* facing) a person.
fâché angry, vexed.
fâcher to vex, offend; **se —**, to get angry.
facile easy.
facilement easily.
façon *f.* fashion, manner, way.
facond eloquent, smooth-tongued.
facteur *m.* factor.
faible feeble, weak, faint.
faiblement feebly, weakly, faintly.
faiblesse *f.* weakness.
faillir to fail, come near, just miss; almost . . .
faire to do, make, cause, have, go, say, be, write, compose, concern, matter, make a difference; **— froid (chaud, du soleil)**, to be cold (warm, sunny); **— bien**, to do well; to make a good impression; **— des grâces**, to pay little attentions, do little favors; **— mal à**, to hurt, pain, grieve; **— le tour de**, to go round; **— voir**, to show, point to; **se —**, to be made; to become; **se — belle**, to dress up; **se — mettre à la porte**, to have oneself sent out of the room; **se — remarquer**, to make oneself conspicuous; **il ne fait que cela**, that's all he does; he never does anything else; (*here*) he always is; **cela ne fait rien**, that doesn't matter; that makes no difference; **qu'est-ce que cela me fait?** what do I care? how does that concern me? **se** (*dative*) **—**, to make for oneself; to get, procure.
fait *m.* fact, deed, state, condition; **au —**, indeed, really; **tout à —**, quite, entirely, exactly.
falloir to be necessary; to have to;

must; should; ought; to take; — à, to need, be necessary to (*or* for), be just the thing for; **il faut que je**, I must, I have to; **il faut être**, one must be; **quand il faudra**, when necessary; on occasion; when the opportune moment arrives; **il fallait entendre**, you should have heard.

familiarité *f.* familiarity; **à la —**, on a footing of intimacy (*or* familiarity).

famille *f.* family.

fange *f.* mire.

fatalement inevitably.

fatalité *f.* fatality.

fatiguer to tire; **se —**, to tire oneself; **être fatigué**, to be tired.

faute *f.* fault; **il n'y a pas —**, no fault has been committed; no wrong has been done.

fauteuil *m.* armchair.

fau-x, -sse false, fictitious.

faveur *f.* favor, grace.

fée *f.* fairy.

féerie *f.* enchantment, fairyland.

feindre to pretend, feign.

félicité *f.* felicity, bliss.

femelle *f.* female (of an animal).

femellerie (*an abstract noun formed from* femelle), *f.* femaleness; animalism (*or* animality); **la haute —**, frivolous women of high rank.

femme *f.* woman, wife; **— de chambre**, maid; **nous autres —s**, we women; *les Femmes savantes*, title of one of Molière's great comedies.

fer *m.* iron; **chemin de —**, railway, train.

fermement firmly.

fermer to close, shut.

féru *pp.* of férir, smitten.

fête *f.* feast, festival.

feu *m.* fire; **— d'artifice**, fireworks, display of fireworks.

feuille *f.* leaf, sheet.

feuilleter to turn the leaves of.

fier, fière proud.

fièrement proudly.

Figaro: character in the dramas *Le Barbier de Séville* and *Le Mariage de Figaro* of Augustin Caron de Beaumarchais (1732–1799).

figure *f.* face, appearance, figure, form.

figurer (se) to imagine, picture to oneself; **figure-toi!** just think!

filer to run off, take to one's heels.

fille *f.* daughter; **jeune —**, girl, young lady; **en petite —**, as (*or* like) a little girl; *La Fille de madame Angot*, title of one of the most popular of the numerous light operas of Lecocq.

filleul *m.* godson.

fils *m.* son.

fin fine, refined, smooth, clear, delicate.

fin *f.* end, conclusion; **à deux —s**, with two ends; ambiguous; with double entente.

finir to end, finish, be over; **— par arriver**, to arrive finally; **j'ai bien fini, j'espère**, I have told you enough, I hope; I hope that you are satisfied.

flamme *f.* flame, passion.

flatter to flatter.

fleur *f.* flower.

fleuron *m.* jewel, ornament.
flot *m.* flood.
foi *f.* faith, confidence; **ma —**, on my word, on my honor, indeed.
fois *f.* time; **une —**, once; **pour une —**, for once; for a change; **deux —**, twice; **deux — par semaine**, twice a week.
folie *f.* folly, something foolish (*or* crazy).
folle *f.* madwoman.
fonctionnaire *m.* (govermental) official.
fond *m.* depth, bottom, back, background; **au —**, in (*or* to) the background; at bottom, at heart.
Fontenelle: Bernard le Bovier de Fontenelle, French author, nephew of Corneille (1657–1757).
force *f.* power, strength; **à — de**, by dint of; through, by, from.
forme *f.* form, kind.
formel, -le formal, express.
formellement formally, outright, expressly.
former to form, create, produce.
fort strong, hard, clever, capital; **ça, c'est très —**, that is clever; that's capital; **c'est trop —**, that's too much; **il est très —**, he is a master.
fort very, very much, much, extremely, greatly.
fou *m.* fool, madman.
fou, fol, folle crazy, foolish; **être — de**, to dote on, be crazy about, be wild over, worship.
fouchtra *m.* (*expletive in the* patois *of the Auvergne*), deuce, devil; **les —s de Bouddha**, the Judas priests of Buddha.
foule *f.* crowd.
four *m.* failure, fizzle.
fournir to furnish, supply.
fourrer to surround, hedge in; to coat.
franc, franche, frank.
franc *m.* franc (*equivalent to about twenty cents*).
français French; *subst.* Frenchman.
frapper to strike, beat.
frère *m.* brother.
friser to curl.
froid cold.
froid *m.* cold; **avoir —**, to be cold; **faire —**, (*of the weather*) to be cold.
froidement coldly, coolly, with reserve.
frôler to touch; **— les touches du piano**, to run the fingers over the keys of the piano.
front *m.* forehead.
frtt *sound of the voice indicative of elation.*
fruit *m.* fruit.
fuir to flee, fly, shun.
funéraire funeral, of (*or* to) the dead.
fureur *f.* fury; **avec —**, furiously.
furieu-x, -se furious.
furtivement furtively, stealthily.

G

gage *m.* forfeit.
gagner to gain, win, earn, save, take possession of, gain the mastery over, get the better of.
gai gay, cheerful, jolly.

gaiement gaily, joyously.
galamment gallantly.
galant gallant, licentious, libertine, profligate, loose in morals.
galimatias *m.* nonsense, twaddle.
Gambetta: Léon Gambetta, French statesman (1838–1882).
gamin *m.* small boy, gamin; **quel — tu fais!** how boyish you are acting!
gamine *f.* small girl, tomboy.
gaminerie *f.* childishness, childish antic; *pl.* childish antics, tomboy tricks, coltish freaks.
garantir to guarantee, assure.
garçon *m.* boy.
garde *m. and f.* guard, guardian; **—s du corps**, body-guardians, body-guard; **être sur ses —s**, to be on one's guard; **prendre —**, to be careful.
garder to guard, keep; **se — de**, to beware of, keep away from, leave alone.
gare *f.* station, railway station.
gâteau *m.* cake.
gauche left, awkward.
gauche *f.* left, left hand (*or* side); **à —**, at (*or* to) the left.
gaz *m.* gas.
geler to freeze.
gémir to mourn, deplore.
gêner to embarrass, annoy, be in the way of.
général *m.* general.
généralement generally; **— parlant**, speaking generally.
génie *m.* genius, talent.
genou *m.* knee; **à —** on one's knees, kneeling.
genre *m.* kind, style.
gens *m. and f. pl.* people; **— sérieux**, serious people; bores; **les — d'ici**, the people here; these people.
gentil, -le, nice, charming; **c'est —, ça?** that's nice, eh?
geste *m.* gesture, sign.
giboulée *f.* shower; **—s d'avril**, April showers.
glace *f.* window (of a carriage); ice; **en —**, glacial.
glisser to slip, go furtively; **se —**, to slip, glide.
gnan *snarling sound of the voice, indicative of scorn and disgust.*
gond *m.* hinge.
gorge *f.* throat; neck and shoulders; **qui n'a pas de —**, who is flat-chested; who is as thin as a rail.
goût *m.* taste.
goutte *f.* drop; **ne . . . —** (*with* **entendre** *and* **voir**), not at all, not a thing; **je n'y entends —**, I don't know a thing about it.
gouvernant *m.* ruler.
gouvernement *m.* government.
grâce *f.* grace, favor, pardon; **les bonnes —s**, the good graces; **faire — de**, to pardon, spare, let off; **faire une —**, to do a favor; **faire des —s**, to do favors; to be very attentive (*or* polite); **de grace!** mercy! spare me! I beg you!
gracieusement graciously, gracefully; with affectation.
gracieu-x, -se gracious, graceful.
grand great, tall, grand, deep; **un — effort**, a prolonged (*or* sustained) effort.

grandir to grow, grow up.

grave serious, earnest, grave.

gravement earnestly, gravely, seriously.

gravir to ascend.

gravité *f.* seriousness, gravity.

grimper to climb ; **— à,** to climb.

gris gray, grayhaired.

gronder to scold.

gros, -se big, fat.

guère : **ne . . . —,** hardly, scarcely, little.

guérir to heal, cure.

guerre *f.* war.

guetter to watch, be on the watch for.

gueule *f.* mouth, jaws.

guichet *m.* wicket, window, ticket office (in a railway station).

H ('h, aspirate h)

habiller (s') to dress.

habit *m.* coat, suit, dress coat, dress suit ; *pl.* clothes.

habiter to inhabit, live (*or* dwell) in.

habitude *f.* custom, habit ; **d'—,** customary, habitual ; ordinarily.

habituellement usually, ordinarily.

habituer to accustom.

'haine *f.* hatred.

'haïr to hate.

haleine *f.* breath ; **de longue —,** on a large scale.

'hardi bold.

'hardiesse *f.* boldness, audacity.

'hasard *m.* chance ; **par —,** perchance.

'hâte *f.* haste.

'hâter to hasten, hurry ; **se —,** to hasten, make haste.

'hâti-f, -ve hasty, premature.

'haut high, loud, aloud, back, up ; **un peu —,** audibly ; **plus —,** louder ; further back (on the stage) ; **en —,** above, upstairs ; at the top.

'hautement aloud, publicly, with emphasis, emphatically.

'hauteur *f.* loftiness, haughtiness.

Hegel : Georg Wilhelm Friedrich Hegel, great German philosopher (1770–1831).

'hein eh? what? what!

hélas alas.

Héloïse : niece of the prebendary or canon Fulbert and wife of Abélard, the unfortunate theologian and philosopher ; died abbess of the Paraclete, 1164.

'hem *sound of the voice indicative of doubt, hesitation, or question, or to attract attention.*

héritage *m.* inheritance, heritage.

héritière *f.* heiress.

hésiter to hesitate.

heure *f.* hour, time, o'clock ; **tout à l'—,** presently, directly, in a little while ; (*with a past tense, expressed or implied*) a little while ago ; **à tout à l'—,** good-by (for a little while) ; **à quatre —s,** at four (o'clock) ; **de bonne —,** early ; **à la bonne heure** ! good ! fine ! I'm glad of that !

heureusement happily, luckily, fortunately.

heureu-x, -se happy, lucky, fortunate, glad, greatly pleased.

hier yesterday ; **d'—,** of yesterday ; yesterday's.

histoire *f.* story, talk, gossip.

hiver *m.* winter.

homme *m.* man, husband; **honnête —**, man, gentleman, honest (*or* honorable) man; **— d'État**, statesman.

honnête honest, honorable.

honneur *m.* honor.

'honteu-x, -se shameful, disgraceful.

Horace: tragedy of Pierre Corneille, the great French tragedian (1606–1684). Other famous tragedies of the same author are: *Le Cid*, *Cinna*, *Polyeucte*, and *Rodogune*.

horreur *f.* horror; **avoir — de**, to hate, abhor.

horriblement horribly.

'hors de beyond, out of, beside.

Hugo: Victor Hugo, famous French poet, novelist, and dramatist (1802–1885).

'huit eight; **— jours**, a week.

hum *sound of the voice indicative of doubt, hesitation, or question.*

humain human.

humeur *f.* humor, mood.

humidité *f.* humidity.

Hunter: John Hunter, Scotch anatomist and surgeon; 1728–1793.

hurluberlu *m.* thoughtless (giddy *or* inconsiderate) person.

'hussard *m.* hussar, soldier of the light cavalry in France.

Hyménée *m.* Hymen: in classical mythology the god of marriage.

I

ici here; **bien —**, right here; **d'—**, here; **les gens d'—**, the people here; these people; **par —**, here, this way, in this direction; **— bas**, here below.

idéal ideal; *subst. m.* ideal.

idéalité *f.* ideality.

idée *f.* idea, thought; **a-t-on — de cela?** whoever heard of such a thing?

identique identical.

ignoré unknown.

ignorer to be ignorant of; not to know; **s'—**, to be (*or* become) unconscious of oneself; to lose consciousness of oneself.

il he, it; there.

illustre illustrious.

imagination *f.* imagination, fancy, fanciful conception.

imaginer to imagine, fancy, take (it) into one's head; **s'—**, to imagine, fancy.

imbécile *m.* imbecile, idiot.

imiter to imitate.

immaculé immaculate, spotless.

immatériel, -le immaterial, spiritual.

immortel, -le immortal.

impénétré not penetrated; hidden, unknown.

implorer to implore, beseech.

importer to be of importance; to concern, matter.

imposer to impose, force upon; **s'en laisser —**, to allow oneself to be imposed upon.

impossible not possible; **par —**, assuming an impossibility.

imprudent imprudent; *subst.* imprudent person.

inamovible not removable; with a life tenure, chosen for life.

incessamment incessantly.
incliner (s') to bow.
incomber to devolve, be incumbent.
inconnu unknown; *subst.* unknown person; stranger.
inconscient unconscious.
inconvenance *f.* impropriety; **n'être qu'à l'—**, to be no worse than improper.
indépendammant independently.
indépendance *f.* independence, freedom.
indigner to make indignant; **s'—**, to be (*or* become) indignant.
indique-fuite *m.* warning signal.
indiquer to indicate, point out; **c'était indiqué**, that was sensible; that was the right thing to do.
indiscret, indiscrète indiscreet.
individuation *f.* individualization, individuation.
Indou *m.* Hindoo, one of the followers of the Veda.
inédit unpublished.
inéluctable unavoidable, ineluctable.
inexploré unexplored.
infamie *f.* infamy; **des —s pareilles**, such infamous things.
infini infinite; *subst. m.* infinity, (the) infinite.
influent influential.
infortuné unfortunate.
ingrat ungrateful.
initiateur *m.* pioneer, initiator.
inouï unheard of.
inquiet, inquiète uneasy, anxious, restless.
inquiétant disquieting.
inquiéter to make anxious; to trouble, disquiet; **s'—**, to be (*or* become) anxious, be troubled.
inquiétude *f.* anxiety.
insanité *f.* insanity.
insensiblement insensibly.
insistant insisting; with emphasis, emphatically.
insister to insist, emphasize.
insoumis not subject (to), independent (of).
installer to arrange; **s'—**, to arrange oneself (comfortably); to take up one's residence.
instant *m.* moment; **à l' — (même)**, at this (very) moment; immediately, directly, just now, just.
Institut *m.* Institute of France, collective designation of the five Academies.
instruire to instruct, educate.
instruit well-educated, scholarly.
insuffisant insufficient, inadequate.
insupportable insufferable.
intention *f.* purpose, intention; **avec —**, pointedly, with hidden meaning; **dans quelle —**, with what purpose.
interdit speechless, surprised, confused.
intéressant interesting.
intéresser to interest; **s' — à**, to be (*or* become) interested in.
interrogateur, interrogatrice questioning.
interroger to question.
interrompre to interrupt.
interrompu *pp. of* **interrompre**, interrupted; **non —**, uninterrupted.
intime confidential, private, informal.

intrigue *f.* love affair, intrigue.
introduire to introduce, put.
inutile needless, useless, unnecessary, not necessary.
inventeur *m.* inventer, discoverer.
invention *f.* invention, discovery; originality.
invité invited; *subst. m.* guest.
invraisemblable improbable.
ironique ironical.
isoler (s') to separate from others, go apart.
issue *f.* way out, issue, door, window.

J

jalouse *f.* jealous girl.
jalou-x, -se jealous.
jamais ever, never; **ne . . . —**, never; **plus — cela**, no more of that; I shall never do that again.
jambe *f.* leg; **je n'ai ni bras ni —s**, I am paralyzed (*or* unnerved); I am exhausted (worn out *or* used up).
jardin *m.* garden; **porte du —**, garden gate; door leading out to the garden.
javanais Javanese.
je I.
Jean-Paul: Jean Paul Friedrich Richter, German novelist and humorist (1763–1825).
jet *m.* stream, jet; **— d'eau**, fountain.
jeter to cast, throw; **— les yeux**, to cast a glance; to glance; **elle se jette à son cou**, she throws her arms round his neck.
jeu *m.* play, mute play; **même —**, as above; **— de mots**, pun, play on words.
jeudi *m.* Thursday.
jeune young; **bien —**, when I was a boy; **place aux jeunes!** make way for the young!
Jeune École (*fictitious title*) *f.* Collegiate Institute.
jeunesse *f.* youth.
joie *f.* joy; **avec —**, joyfully.
joindre to join, fold, clasp.
joint *pp. of* **joindre**, folded, clasped.
joli pretty, nice; **très joli!** good! well said!
joliment prettily, nicely; thoroughly; **tu as — raison**, you are very right; you are quite sensible.
Joubert: Joseph Joubert, French essayist (1754–1824).
joue *f.* cheek.
jouer to play; **— à**, to play (at); **— de**, to play, bring into the play; (*mus.*) to play.
jour *m.* day; light; **il y a beau — que je le connais**, I have known him for many a day; **il y a beau — qu'à son âge . . .**, long before her age . . .; **huit —s**, a week.
journal *m.* newspaper, magazine; **— du soir**, evening paper.
journée *f.* day.
joyeu-x, -se joyful, joyous.
juger to judge, think, decide, consider, judge to be.
jurer to swear.
jusqu'à as far as, so far as, to the length of, to, up to; even; **jusqu'où**, how far; **jusque dans**, even into (to *or* unto); **jusqu'aujourd'hui**, till to-day; **— nous**, till our coming; until we came; **il**

n'est pas — votre papier rose, you even use (your) pink paper.
juste right, just, exact.
justement justly, precisely, just by chance, it so happened, just now.

L

la her, it; she (*with* **voici** *and* **voilà**).
là there; here; **— -bas,** yonder, down there; **— dedans,** therein; in that place; **— -dessus,** thereon, about that, on (over *or* above) it (*or* that); **par —,** by that, at that point; there, over there, in that direction, that way; **en être —,** to be at that point, be so far, be so bad.
-là (*hyphenated to preceding word for emphasis*) that, there, on that side.
laboratoire *m.* laboratory.
laborieu-x, -se industrious, hard-working; *subst.* hard worker.
lâcheté *f.* cowardice.
lacune *f.* lacuna, gap.
là-dessus. *See under* **là.**
laid ugly, homely.
laisser to let, permit, allow, suffer, let go, leave, leave alone, stop; **laisse-moi faire,** leave it to me; **laisse donc!** do stop! don't object! don't interrupt! **se — tomber,** to drop, fall, sink; **s'en — imposer,** to allow oneself to be imposed upon.
langage *m.* parlance, speech, idiom, manner of expression, language.
langue *f.* tongue, language.
laquelle, lesquelles *f.* which, which one (s), what.
larme *f.* tear.
larron *m.* thief, rogue.
lauréat *m.* laureate: crowned by the French Academy.
Laure de Noves: Avignonese lady immortalized by Petrarch in 366 sonnets and songs; lived 1308–1348.
le, la, les *art.* the.
le, la, les *pron.* him, her, it, them; (*with* **voici** *and* **voilà**), he, she, it, they; *often to be omitted in translating, when the antecedent is indefinite, an adjective, a descriptive noun, or is post-positive;* **je le sais,** I know; **dis-le,** say so.
Lecocq: Alexandre Charles Lecocq, French musician, composer of numerous light operas; born 1832.
leçon *f.* lesson, lecture.
lecture *f.* reading.
légataire *m. and f.* legatee; **— universelle,** residuary legatee.
léger, légère light, soft.
légèrement lightly, slightly, indifferently.
légitime legitimate, justified.
lent slow.
lentement slowly.
lequel, lesquels *m.* which, which one (s), what.
lettre *f.* letter.
leur their; theirs.
leur to them.
lever to raise; **se —,** to rise, get up.
lèvre *f.* lip.
libéral, libéraux liberal; *subst.* liberal (s), adherent (s) of the liberal party.
libre free, unhindered.

lieu *m.* place; **avoir** —, to take place; to have reason; **tenir** — **de**, to take the place of, perform the function of.
ligne *f.* line.
limite *f.* limit, bounds, restrictions.
lire to read.
littéralement literally.
littérature *f.* literature.
livre *m.* book.
livrer to give over.
locataire *m. and f.* tenant.
loger to lodge, give rooms to.
loi *f.* law, statute.
loin far, distant, far off, far to seek.
long, longue long; **j'en savais aussi** — **qu'elle**, I knew just as much (about it) as she.
longtemps long, a long time; **falloir** —, to take long.
lorgner to ogle; to look at through a lorgnette.
lorsque when.
loup *m.* wolf; **à pas de** —, on tiptoe; stealthily.
lui he, him, to him; to her.
lumière *f.* light.
lune *f.* moon.
lunette *f.* lens; *pl.* spectacles, glasses.
lyre *f.* lyre, poet's lyre.

M

M. (*abbr. for* **monsieur**), Mr.
Machiavel: Niccolò di Benardo Machiavelli, crafty statesman and political writer, secretary and historiographer to the republic of Florence (1469–1527). His political philosophy, known as Machiavelism, is a justification of the means by the end.
madame *f.* madame, Mrs.; — **la comtesse**, (the) countess; **la tante de** —, (*here*) madame de Céran's aunt.
mademoiselle *f.* miss, young lady.
magnifique splendid, magnificent.
Mahabharata *m.* Mahabharata: very long Hindoo epic poem or collection of epic poetry; authorship attributed to Vyasa.
maigre lean, thin; **moins** —, not so thin.
main *f.* hand; **avoir la** — **heureuse** (*fig. of cards or dice*), to have a lucky hand; to be in luck, be lucky.
maintenant now.
mais but; why, well; **mais non!** why no! **eh! mais, gardez-le!** oh well, keep it!
maison *f.* house; **être de la** —, to belong to the family.
Maistre: Joseph Marie de Maistre, French-Sardinian statesman, philosopher and writer, brother of the novelist Xavier de Maistre; lived 1754–1821.
maître *m.* master, teacher; **les** —**s**, (*here*) the family.
maîtresse *f.* mistress.
mal badly, ill, wrong; **que c'est mal!** how wrong of you!
mal *m.* evil, ill, misfortune; **dire du** — **de**, to speak ill of; to malign; **faire** — **à**, to hurt, pain, grieve; **ni bien ni** —, neither good nor evil; **être au plus** —, to be at the point of death.

malade ill; *subst.* sick person, patient.
maladie *f.* illness.
maladroit awkward, clumsy; *subst.* bungler.
mâle male.
malgré despite, in spite of.
malheur *m.* misfortune, bad luck; **quel malheur!** how unfortunate! what a bother! what a nuisance!
malheureu-x, -se unhappy, unfortunate; *subst.* **malheureuse!** imprudent girl!
malin sly; *subst.* intriguer, sly rogue.
malle *f.* trunk; **défaire sa —**, to unpack one's trunk.
manchette *f.* cuff.
manger to eat.
manière *f.* manner, kind, sort, way.
manne *f.* manna.
manquer to miss, fail, stay away from, be lacking, be wanting; **il ne manquerait plus que cela!** that would be the climax! that would be the last straw!
manteau *m.* cloak, mantle.
marcher to walk, march; **— sur . . .** (*personal noun or pron.*), to walk up to. . . .
mari *m.* husband.
mariage *m.* marriage.
marié *m.* groom; **mariée**, *f.* bride; **les nouveaux mariés**, the newly married couple; the bride and groom.
marier to marry off, marry; **se —**, to get married.
marivauder to talk (*or* write) in the style of Marivaux (*French dramatist and novelist*, 1688–1763); to be pedantically affected; to euphuize; to 'marivaudize.'
marque *f.* mark.
marquis *m.* marquis.
marquise *f.* marchioness.
marronier *m.* chestnut-tree.
masque *m.* mask.
masque *f.* rogue, bold-face, hypocrite.
massif *m.* clump, thicket.
matérialiste materialistic; **Revue —** (*fictitious title*), Philosophic Review.
matière *f.* matter, affair, subject.
matin *m.* morning.
maturité *f.* maturity.
mauvais bad, poor.
maux *m. pl. of* **mal**, evils.
me me, to me.
méchanceté *f.* meanness, malice.
méchant mean, wicked.
médaillon *m.* locket.
médiocre mediocre.
méfier (se) to be on one's guard (de, against); to beware, look out.
Meilhac: Henry Meilhac, French dramatist, 1832–1897.
meilleur *comp. of* **bon**, better; **le —**, the better, the best.
mélange *m.* mixture; *pl.* (*lit. term*), miscellanies.
mêler to mix, mingle; **se —**, to meddle, interfere.
même same, self, very, even; **de —**, as above, likewise, also, too; (*hyphenated to preceding pron.*), self.
menage *m.* household, housekeeping, married couple (*or* life).
ménagement *m.* consideration,

caution, kind treatment ; **avec —**, with care ; kindly, considerately, discreetly.

ménager to treat discreetly (*or* with care, consideration or caution) ; to be careful not to offend.

mener to bring, lead, conduct.

mensonge *m.* lie.

mentionner to mention, speak.

mentir to lie.

mépris *m.* scorn.

mépriser to despise, scorn ; **se —**, to despise (scorn *or* hate) oneself.

merci thanks, thank you; no, thank you.

mère *f.* mother ; **ma —** (*in direct address*), mother; **la — Supérieure**, the Mother Superior (of a convent) ; **— grand**, grandmother.

mesure *f.* measure, time, beat, tune, melody ; **à — que**, in proportion as ; as.

métier *m.* business, profession, trade.

mettre to put, place, put on, set, lay ; **— à la porte**, to turn out of doors ; **se faire — à la porte**, to have oneself sent out of the room ; **mettez-vous là**, sit down there ; **se — à . . .** (*infin.*), to begin ; **se — à . . .** (*subst.*), to get (to work) at.

meuble *m.* piece of furniture ; article ; *pl.* furniture.

mi- (*hyphenated to following word*), half ; **à mi-voix**, in a low tone.

mien *m.* **mienne** *f.* mine.

mieux *comp. of* **bien**, better ; **le —**, the better, the best ; **être —**, to be better, be more comfortable.

mignon, -ne dainty, delicate ; a dear ; *subst.* darling.

migraine *f.* megrim (*or* migraine) : a kind of sick or nervous headache, usually periodical and confined to one side of the head ; (*more general*) headache.

milieu *m.* middle, midst ; **au — de**, in the middle of, in the midst of, among.

mille *m.* thousand.

mine *f.* mine.

ministère *m.* ministry, premier's offices, department.

ministre *m.* minister, cabinet-minister, premier.

miroir *m.* mirror.

mise en scène *f.* setting, stage setting, stage decoration.

misérable wretched ; *subst.* wretch.

miséricorde *f.* pity, mercy, pardon.

mitoyen, -ne party; **mur —**, party wall.

mode *f.* fashion, vogue ; **à ia —**, in fashion, in style ; fashionable.

modestement modestly.

mœurs *f. pl.* manners, morals.

moi me, I ; **et c'est — qui**, (*emphatic*) and I ; **le —**, the ego ; **le non- —**, the non-ego.

moins *comp. of* **peu**, less, not so much, not so . . . ; **— . . . —**, the less . . . the less ; **— . . . mieux**, the less . . . the better ; **au —**, **du —**, at least ; **de — en —**, less and less ; **dix heures — cinq**, five minutes to ten ; **dix heures — le** (*or* **un**) **quart**, a quarter to ten ; **à — que**, unless.

mois *m.* month; **six — de perdu,** six months lost (*or* wasted).

moitié *f.* half.

Molière: Jean-Baptiste Poquelin, immortal French dramatist (1622–1673).

moment *m.* moment; **d'un — à autre,** at any moment; **du — que,** as soon as; if; since; **en** (*or* **dans**) **ce —,** at this time; at present.

mon *m.* **ma** *f.* **mes** *pl.* my.

monde *m.* world, company, society; **au —,** in the world; **du —,** company; **devant le —,** in company; in public; **le — entier,** the whole world; **tout le —,** everybody; **le — où l'on s'ennuie,** society in which one is bored; tiresome society.

monsieur, M. *m.* sir, Mr., gentleman, this gentleman; *pl.* **messieurs,** gentlemen, sirs, these gentlemen.

monstreu-x, -se monstrous, unparalleled.

montant. *See* **monter.**

monter to mount, go up, come up, ascend, get in; **— en wagon,** to enter the train (*or* railway carriage); **robe montante,** high-necked dress.

montrer to show, point to.

monument *m.* monument; *pl.* monuments, remains.

morceau *m.* piece, stick.

mordre to bite, nibble, catch on.

morgue *f.* conceit, vanity, haughtiness.

mort dead; *see* **mourir.**

mort *f.* death.

mot *m.* word, remark, note; few words; **en deux —s,** in a word; in a few words; **sans — dire,** without a word; **des petits —s de rien du tout,** little insignificant remarks; **bon —,** witty repartee; bonmot.

mouchoir *m.* handkerchief.

mourir to die; **il est mort,** he is dead; **il est mort à six heures,** he died at six o'clock.

moustaches *f. pl.* mustache.

mouvement *m.* motion, movement, animation, tendency.

moyen *m.* means; **(il n'y a) pas —,** (it is) impossible.

muse *f.* muse, poetic inspiration (*or* genius).

Muse *f.* Muse, one of the Muses.

musique *f.* music.

Musset: Alfred de Musset, French poet, dramatist, and novelist; his verse is fanciful, passionate, and satirical; lived 1810–1857.

mystère *m.* mystery.

N

naissance *f.* birth.

nanan *m.* anything (*or* something) nice; **(c'est du) nanan!** (that's) nice! charming!

ne, n' not; **— . . . pas** (**— pas** *before infin.*), not; **— . . . que,** only.

né *pp.* of **naître,** born; by birth; **bien —,** of good family.

néanmoins nevertheless.

nerveu-x, -se nervous; nervously.

net, -te clean, clear, neat; **avoir le cœur —,** to understand (all about

it); to clear (it) up, ease one's mind.
neuf nine.
neu-f, -ve new, newly made, unused, unsoiled; **tout —**, brand-new.
neveu *m.* nephew.
nez *m.* nose.
ni nor, not, not even; **— . . . —**, neither . . . nor; **ne . . . — . . . —**, neither . . . nor; not . . . either . . . or.
nier to deny.
noir black, dark.
nom *m.* name.
nombre *m.* number.
nombreu-x, -se numerous.
nommer to name, appoint; **j'ai nommé Revel**, I speak of Revel; **le nommé Schopenhauer**, that fellow Schopenhauer.
non no, not.
note *f.* note, announcement, notice; **prendre des —s**, to take notes; **tenir la —**, to strike the right chord, have the right tune, be in the right mood; to catch on, have it.
notre, *pl.* **nos** our.
nôtre ours
nous we, us, to us.
nouveau, nouvel *m.* **nouvelle** *f.* new.
nouvelle *f.* news, piece of news; *pl.* news.
nuage *m.* cloud.
nuance *f.* shade of difference, slight distinction.
nuit *f.* night.
nul, -le no, none.
nullité *f.* nullity, nothingness.

O

objet *m.* object; **le bel —** (*here*), the lady-killer.
observation *f.* remark, observation.
observer to observe; **s'—**, to be on one's guard, be circumspect (prudent *or* sensible).
obsession *f.* sway, dominion, ascendency, obsession.
obtenir to obtain.
occasion *f.* occasion, opportunity, chance.
occidental west, western.
occupant *m.* occupant.
occuper to occupy, fill; **s' — de**, to busy oneself with; be busy with, attend to, look after.
odieu-x, -se odious, hateful.
œil, *m.* *pl.* **yeux** eye.
œuvre *f.* work, production.
offenser to offend.
Officiel: Le Journal officiel, Official Gazette (official political sheet).
officier *m.* officer (of the Legion of Honor).
offrir to offer, present.
oh oh.
oiseau *m.* bird; **— rare**, *rara avis.*
on one, some one, we, you, they, people; *often to be translated by the passive.*
opérette *f.* operetta.
opposant *m.* liberal; member of the opposition; one of the minority party.
opposer to oppose; **s' — à**, to oppose.
opposition *f.* liberal party; minority party; opposition.
or *conj.* now.

or *m.* gold.
orage *m.* storm.
orageu-x, -se stormy, tempestuous.
ordinaire customary, usual.
ordre *m.* order, command; **à vos —s**, at your service.
oreille *f.* ear.
orgueil *m.* haughtiness, pride.
Orient *m.* East, Orient.
orientaliste *m.* Orientalist: an authority on Eastern languages, literatures, and antiquities.
orpheline *f.* orphan.
oser to dare, venture, make bold.
ôter to take off, take away.
ou or; **— bien**, or rather; or.
où where; **— donc**? but where? oh where? **— ils en sont**, how far they have gone; how bad things are; what their relations are.
oubli *m.* oblivion.
oublier to forget, not to remember (*or* think of).
ouf *interj. denoting relief*, ah! oh!
oui yes; **mais —**, why yes; **bien —** (*ironical*), no indeed.
Oupanishas *m. pl.* Upanishads: theosophic and philosophic treatises attached to the Vedas, "the first attempts at a systematic treatment of metaphysical questions."
ouvert *pp. of* **ouvrir**, open, unfolded.
ouvrage *m.* work, production, piece of work.
ouvrir to open, unfold; **s'—**, to open, be opened.

P

palimpseste *m.* palimpsest: parchment which has been written on twice, the first writing having been erased. The original writing has, in many cases, been partially or wholly restored by the application of chemical reagents.
pâlir to turn pale.
panier *m.* basket.
papier *m.* paper, sheet; **— rose**, pink paper.
paquet *m.* package, bundle.
par by, by means of, with, through, in, for; **— ici**, here, this way, in this direction; **— là**, by that, at that point; there, over there, in that direction, that way; **deux fois — semaine**, twice a week.
paraître to appear, seem; **il paraît**, it seems, as it seems, evidently.
parbleu indeed, I wager, by Jove.
parce que because.
pardon *m.* pardon; *exclam.* I beg your pardon, pardon me, excuse me.
pardonner to forgive, excuse, pardon.
pareil, -le such, similar, like; **un —**, such a.
parent *m.* relative; *pl.* parents, relatives.
parfait perfect.
parfaitement exactly, certainly, perfectly well, outright.
parier to bet, wager.
Paris: capital of France, on the Seine; pop. about three millions.
parler to speak, talk; **c'est lui qui**

a parlé, how he did speak! parlons-en! (*ironical*) that's worth speaking of!
parloir *m.* parlor.
parmi among.
parole *f.* word, speech, language, promise; **avoir la —**, to speak, be speaking.
part *f.* share, part, place; **autre —**, elsewhere, somewhere else; **à —**, aside; **de la — de**, from; **je prends bien —**, I share your disappointment; I deeply sympathize with you.
partager to share.
partant hence, consequently.
parti *m.* party, decision, choice, match.
particulier, particulière particular, private.
partie *f.* part, game.
partir to depart, leave, go off.
partout everywhere.
pas *m.* step, footstep; **à — de loup**, on tiptoe; stealthily.
pas not; **ne . . . —** (**ne —** *before infin.*), not; **non —**, not.
passer to pass, go, spend; **— femme**, to become a woman; **faire —**, to send; **passe pour lui**, that is well enough for him (*or* as far as he is concerned); **se —**, to happen, take place.
passion *f.* passion, love; **avec —**, impassioned, passionately.
passionné impassioned, seething, stirred to the depths.
patatras *exclam.* smash, crash.
patois *m.* patois, local dialect.
pauvre poor.
pavillon *m.* pavilion, wing (of a house).
pays *m.* country.
paysage *m.* landscape, description of natural scenery.
péché *m.* sin, offense.
pédant pedantic; *subst.* pedant.
pédantesque pedantic.
pédantisme *m.* pedantry.
peindre to paint, depict.
peine *f.* pain, grief, trouble, difficulty; **la question en vaut la —**, the problem is worth solving; **ce n'est plus la —**, it is no longer worth while.
pèlerine *f.* cape, pelerine.
penaud abashed, sheepish.
pencher to lean; **se —**, to lean.
pendant for, during; **— que**, while.
pénétrer to penetrate.
pénible painful.
pensée *f.* thought, reflection; **il me revient à la —**, there occurs to me.
penser to think; **— à**, to think about; **— de**, to think of, form an estimate of; **y pensez-vous**? what are you thinking of? what do you mean by that? how can you (think of doing such a thing)?
pensionnaire *f.* schoolgirl (of a convent or other boarding-school).
pensionnat *m.* boarding-school.
pensum *m.* lesson, study, supplementary task (*imposed as a punishment*).
perceptible visible, perceptible.
perdre to lose, miss, waste, ruin; **— l'habitude**, to get out of the habit; **que de temps perdu**! what a waste

of time ! **six mois de perdu,** six months lost (*or* wasted).

père *m.* father.

perfide treacherous.

péril *m.* peril, danger.

périlleu-x, -se perilous, dangerous.

périssable perishable.

permettre to permit, allow ; **permettez !** excuse me ! I beg to differ !

personnage *m.* person, character (of a play).

personne *f.* person, girl.

personne *m.* anybody, nobody ; **ne . . . —** (*or* **— ne . . .**), nobody.

perte *f.* loss.

pesant weighty, heavy, oppressive.

peser to weigh, be heavy.

peste *f.* pest, plague ; **comme —,** like the plague.

petit little, small, young, dear.

petite *f.* little one ; little girl.

peu little, few ; **— de,** little, a little, few, a few ; **un —,** a little ; somewhat ; just, but ; **— après,** a moment later ; **attends un —,** wait a moment ; just wait ; **elle voudrait bien voir un —,** she would just like to see ; **si — que,** as little as ; **si — que vous voudrez,** no matter how little.

peuple *m.* people, nation ; common people.

peur *f.* fear, fright ; **quelle — tu m'as faite,** what a fright you gave me.

peut-être perhaps.

pff *sound of the voice indicative of suppressed laughter.*

phalange *f.* phalanx.

phénomène *m.* phenomenon ; **le — que voici,** the following phenomenon.

Philippe-Auguste : Philip II, king of France from 1180–1223, the rival of Richard Cœur de Lion, with whom he went on the third crusade (1190). On his return, he invaded the English possessions in France, and in 1214 won the battle of Bovines against the combined armies of the English, Flemish, and Germans. His reign is also noted for many remarkable public improvements in Paris.

philosophe *m.* philosopher.

philosophie *f.* philosophy.

philosophiquement philosophically ; from a philosophical point of view.

photographe *m.* photographer.

photographie *f.* photograph.

physiologique physiological.

pièce *f.* piece ; play ; **— d'eau,** pond, fishpond.

pied *m.* foot.

piège *m.* trap, trick.

Piéride *f.* Muse ; one of the Pierides, or Muses.

pincer to pinch, catch, nab.

pinson *m.* chaffinch : European song-bird, having a variety of very sweet songs.

piocheur *m.* (*student slang*) dig, grind.

pion *m.* (chess) pawn ; usher (assistant in charge of the study-room in a boys' school) ; **air —,** prim look.

piquer to prick, nettle, pique.

pis *comp. of* **mal**, worse; **tant —**, so much the worse; it can't be helped; whether or no; what's the difference?

place *f.* place, room, position, situation, office.

placer to put, place, locate; **se —**, to stand, take one's stand.

plaindre to pity; **se —**, to complain; **je t'engage à te —**, I should complain, if I were you.

plaire to please; **(ce qu') à Dieu ne plaise** (which) God forbid; **s'il vous plaît**, if you please; **se — à**, to take pleasure in.

plaisanter to jest, joke.

plaisir *m.* pleasure; **faire — à**, to please; to do one a favor; **me faire le — de . . .** (*infin.*), to do me the favor to . . .

plan *m.* plan, ground-plan, ground; **premier —**, foreground; **second** (*or* **deuxième**) **—**, middle-ground; **troisième —**, **dernier —**, *and* **fond**, background.

planer to soar.

planter to plant; **— là**, to put aside, throw down.

plateau *m.* tray, waiter.

plâtre *m.* plaster; *pl.* plastered walls, stucco-work.

plein full, replete.

pleurer to cry, weep, mourn.

plomb *m.* lead; **de —**, leaden, of lead.

Plombéide *m.* Filliad (on the analogy of **Iliad**); word formed from **plomber**, to fill (teeth), and the suffix **-ide** (on the analogy of **Énéide**).

plonger to plunge, immerse; **— leurs regards** (*or* **leurs yeux**) **dans leurs regards** (*or* **leurs yeux**), to gaze deeply into each other's eyes; to bask in each other's glances.

pluie *f.* rain; **petite — apaise grand vent** (*proverb*), a little rain quiets a great wind.

plume *f.* feather, pen.

plus *comp. of* **beaucoup**, more; **ne . . . —**, no more; no longer; **— cela**, no more of that; don't do that again; **— qu'un mot**, only a word more; **ni moi non —**, nor I either; **ne . . . pas, non —**, not . . . either; **de —**, further, besides; **un droit de —**, an additional right; **— . . . —**, the more . . . the more; **toujours —**, more and more.

plusieurs several.

poche *f.* pocket.

poème *m.* poem.

poésie *f.* poetry.

poète *m.* poet.

poétique poetic, poetical.

poids *m.* weight, emphasis.

poignée *f.* handful, hand-clasp; **—s de mains**, hand-clasps; they shake hands.

point *m.* point.

point: **ne . . . —**, not; not at all.

poli polite.

politique political.

politique *f.* policy; politics.

Polymnie *f.* Polyhymnia, Muse of lyric poetry.

populaire popular, supported by the people.

porte *f.* door, gate; **petite —**, postern, secret entrance; **sur la —**, at (*or* near) the door; on the threshold; **— de droite**, door at (*or* on) the right; **— du jardin**, garden gate; door leading out into the garden; **— d'appartement**, room-door, apartment-door; door leading into a room, an apartment, or a suite of rooms.

portée *f.* reach, import.

porte-monnaie *m.* purse.

porter to carry, bring, wear.

portrait-carte *m.* card photograph.

poser to put, pose, place; **— sa candidature**, to announce one's candidacy, come up as a candidate, run for office.

position *f.* situation.

positivement positively.

pouah poh, bah, pooh.

pouffer de rire to burst out laughing.

pour for, in order; to, as, as for, as to; **— que**, in order that.

pourquoi why; **c'est —**, that is why; therefore, for that reason.

pourtant however, though, still, and yet.

pourvu que provided that, if only, so long as.

pousser to push, drive, utter, carry, grow; **il pousse la porte, elle pousse un cri**, he gives the door a push, it gives a creak; **se —**, to push oneself forward, make one's way in the world.

pouvoir *m.* power.

pouvoir to be able; can; may; **on ne peut plus calme (s)**, as calm as *can* be; **puissent . . .**, may . . .

pratique practical.

pratiquer to practice (what one believes).

préciosité *f.* preciosity (*or* **préciosité**); pedantic affectation; euphuism; *see* **Rambouillet.**

précipitamment precipitately; **entrer —**, to rush in.

précis exact, precise; **à six heures très — es**, at the stroke of six; at exactly six o'clock; precisely at six.

précisément exactly, precisely, just (by chance), just now.

précoce precocious, premature.

préfecture *f.* prefecture, office of prefect.

préfet *m.* prefect: administrative head of a **département.**

préfète *f.* wife of the prefect.

premier, première first; **je t'aurais vu la première**, I should have been the first to see you.

prendre to take, get, buy, seize, catch, work, gain, win, take possession of; **qu'est-ce qui te prend?** what is the matter with you? **ça prenait toujours**, that always worked; **s'en — a**, to blame, lay the blame upon.

préparer to prepare, arrange.

près near; **— de**, by, near; **à peu —**, nearly, pretty nearly; **plus —**, nearer; (come) closer; **à un jour —**, a day more or less; **l'un — de l'autre**, side by side; near each other.

présenter to present, bring, introduce.

présidence *f.* presidency, office of president.
président *m.* president (of the Republic).
présider to preside over.
presque almost.
presser to hurry, press, urge; **se —**, to hurry, hasten; **se — contre**, to press close to; **être pressé**, to be in a hurry.
prêt ready.
prétendre to assert, claim; **prétendue découverte**, supposed discovery.
prétentieusement pretentiously.
prétentieu-x, -se pretentious.
prêter to lend.
preuve *f.* proof.
prévenir to forewarn, inform, notify.
prévu *pp. of* **prévoir**, foreseen; **non —**, unforeseen.
prier to beg, request, ask; **je vous en prie**, I beg (of) you.
prière *f.* prayer, request.
printanier, printanière vernal, of springtime.
printemps *m.* spring, springtime.
privé private.
prix *m.* price, prize.
probablement probably.
processus (*Lat.*), *m.* (*etymol. equivalent to Fr.* **progrès**) progression; process.
proche near, close.
produire to produce; **se —**, to be produced; to happen, take place.
professeur *m.* professor, teacher.
profit *m.* profit, advantage, privilege.
profiter to profit, take advantage.
profond deep, profound, thoughtful.
progrès *m.* progression; *pl.* progress.
projet *m.* project.
prolixe prolix, verbose.
promenade *f.* walk.
promener (se) to take a walk; to go about one's business.
promettre to promise.
propos *m.* speech, talk; **à — de**, in connection with; talking about; **à ce —**, by the way; **forte en —**, plain spoken.
propre own; **— à**, peculiar to, characteristic of.
propriété *f.* property, estate.
protéger to protect, watch over.
protestant protesting; in protest.
protester to protest.
prouver to prove.
prudemmant prudently.
prudent prudent, careful.
pst *a hissing sound to attract the attention.*
psychique psychic, psychical.
psychologique psychological.
psychologue *m.* psychologist.
public, publique public, official.
publier to publish.
pudeur *f.* shame, modesty; **sans —**, without blushing; boldly.
Pufendorf: Samuel Freiherr von Pufendorf, one of the earliest writers on international law (1632–1694).
puis then, after that.
puisque since.
puissance *f.* power.
puissant powerful, mighty.
pupille *f.* ward.
pur pure, fresh.

Puranas *m. pl.* Puranas : mythological and legendary books of the ancient Hindoos.
purement purely.
pureté *f.* purity.
purger to cleanse, purge.

Q

quand when, even though, even if.
quant à, as to, as for.
quarante forty.
quart *m.* quarter ; **dix heures moins le** (*or* **un**) —, a quarter to ten.
quartier *m.* quarter, district.
quatre four.
que *pron.* whom, which, that, what ; **qu'est-ce ?** what is it ? **qu'est-ce que c'est ?** what is it ? **qu'est-ce que c'est que cela ?** what is that ? **ce** —, that which, what, which ; how ; **et ce — je m'appliquais,** and the hard work I did ; and how I did work ; **et ce — les dames l'ont applaudi,** and the applauding those ladies did.
que *conj.* that ; (*with subjunctive*) let ; **c'est** —, the fact is ; you must know ; it is because ; **si** (*or* **pour**) . . . —, however.
que *adv.* how, how much, how many, what (a) ; than, as ; — **de,** how much, how many, what ; **ne** . . . —, only ; **rien** —, nothing but ; only, solely, merely ; — **je sais bien — non,** I know well you aren't ; — **de temps perdu** ! what a waste of time !
quel, -le what, which, what a ; who ; — **qu'il soit,** whoever he may be.
quelconque whatever ; any.
quelque some ; *pl.* some, a few ; — **chose,** something, anything ; **il y a — chose,** something is the matter, something is wrong, something's up.
quelquefois sometimes.
quelqu'un, -e (*pl.* **quelques-uns, -unes**), some one, somebody, some.
qu'est-ce que (*object*) what ?
qu'est-ce qui (*subject*) what ?
qui who, which, that ; whom ; **voilà — est curieux,** that is strange ! **ce** —, that which, what.
qui est-ce que (*emphatic object*) whom ?
qui est-ce qui (*emphatic subject*) who ?
quinze fifteen ; — **jours,** two weeks ; a fortnight.
quitter to leave, quit, abandon.
quoi what, which ; **à** —, at (on, to, by) what ; how ; **à — cela m'a-t-il servi ?** of what profit has it been to me ? **je ne sais** —, something or other ; — **que ce soit,** whatever it may be ; — **qu'il en soit,** however that may be.
quoique although.

R

raccommoder to patch up, reconcile.
raconter to relate, recount, tell.
radieusement radiantly, in radiance.
radieu-x, -se radiant, resplendent.
raide stiff, hard, tough, steep.
railler to rail (scoff *or* jeer) at.
raison *f.* reason, basis ; **avoir** —, to be right ; **demander** —, to demand satisfaction.

raisonnable reasonable, sensible.

Rama : Hindoo demigod, or god (one of the avatars or incarnations of Vishnu), hero of the Ramayana.

ramasser to pick up.

Ramayana *m.* Ramayana : the more ancient of the two great Hindoo epics in classical Sanskrit ; the adventures of Rama and his wife Sita are the theme of its seven books.

Rambouillet : the **Hôtel de Rambouillet,** in the rue Saint-Thomas du Louvre, was built with a large parlor by the inventiveness of the talented Catherine de Vivonne, Marquise de Rambouillet. Here, in 1608, at the age of twenty, she established and presided over the first of French literary salons. She exerted, especially from 1624 to 1648, a very considerable influence in purifying the language and refining the manners of the times, but the movement of her salon culminated in an exaggerated and pedantic refinement of language and cult of form and ceremony in social intercourse, known as **préciosité.**

ramener to bring back, take back.

ranger to arrange, put in order ; **assis et rangé,** seated (*or* sitting) in rows.

ranimer to reanimate, refresh.

rapide rapid, quick.

rappeler to recall, remind of ; **se —,** to remember.

rapport *m.* report.

rapporter to bring back.

rapprocher to bring near ; **se —,** to approach, come close to.

rasseoir to sit down again ; **se —,** to seat oneself again.

rassurer to reassure ; **se —,** to be reassured ; not to worry.

rattraper to catch, overtake.

Ravana : demon-king who carried off Sita, Rama's wife ; an episode in the third book of the Ramayana, and closely connected with the rest of the epic.

rayonnement *m.* radiance, radiancy, luster, irradiation.

rayonner to radiate, irradiate.

recevoir to receive, welcome.

rechercher to return to, seek again, seek (to gain).

récit *m.* story, recital.

réciter to recite, declaim.

réclamer to ask for, demand, reclaim.

recommander to recommend.

recommencer to recommence, begin again, begin over.

récompense *f.* reward, recompense.

récompenser to pay back, reward.

réconcilié reconciled.

réconcilier (se) to be (*or* become) reconciled.

reconnaissance *f.* gratitude ; **quelle reconnaissance !** how grateful (we are to you) !

reconnaissant grateful.

reconnaître to recognize ; to be thankful for.

récrier (se) to cry out (in protest) ; to protest, object.

recueillir to collect.

reculer to recoil; **se —**, to draw back, withdraw, make room.
rédiger to draw up, write out, write up (notes).
redouter to fear, dread.
refaire to make over, do again.
refermer to close again; **se —**, to close again.
réfléchir to reflect, consider, think.
réfugier (se) to take refuge.
réfuter to refute, confute.
regard *m.* look, sight, glance, regard, eye; **plonger leurs —s** (*or* **leurs yeux**) **dans leurs —s** (*or* **leurs yeux**), to gaze deeply into each other's eyes; to bask in each other's glances.
regarder to regard, look at, keep one's eyes open; to concern, be the business of; **tout en regardant**, while looking (at).
règle *f.* rule, controlling factor.
regret *m.* regret; **que de —s**, how sorry I am; how much I regret.
regretter to regret, be sorry (for).
reine *f.* queen.
rejeter to reject, send back, throw down.
rejoindre to rejoin, meet (again), come up with, catch.
relever to raise (again); **se —**, to get up (again).
remarquable noteworthy, remarkable.
remarquer to notice, observe; **se faire —**, to make oneself conspicuous.
rembourser to reimburse, pay, pay back.
remercier to thank.
remercîments *m. pl.* thanks.
remettre to put back, deliver, give, hand to (*or* over).
remonter to go up again, go back.
remords *m.* remorse.
remplacer to replace, take one's place, take the place of.
remplir to fill, fulfill.
remuer to move, stir.
rencontre *f.* meeting; **aller à sa —**, to go to meet him (*or* her).
rencontrer to meet.
rendez-vous *m.* appointment, place of meeting, rendezvous.
rendormir to put to sleep again; **se —**, to go to sleep again.
rendre to return, give (*or* hand) back, make, render, put in words, express.
rengainer to sheathe (a sword).
renseignement *m.* piece of information; *pl.* pieces of information; information, references, descriptions.
rentrer to come (*or* go) in again, re-enter, return, come back.
renverser to overturn, turn backward; **renversé**, backhand (*sloping downward from the left to the right*); backward (*with words and letters written from the left toward the right*); *or* in mirror-writing (**écriture renversée**, *q.v.*).
renvoyer to send away, dismiss, expel.
reparaître to reappear.
réparer to make reparation.
repas *m.* meal, repast; eating.
répéter to repeat.
réplique *f.* reply, answer.

répondre to answer, reply; — **de,** to be responsible for; **je vous en réponds,** I assure you; I can assure you.

réponse *f.* reply.

repos *m.* rest, repose, recreation.

reposer (se) to rest, take a rest.

repousser to push away; to spurn.

reprendre to take again, resume, continue, go on; — **terre,** to alight, return to earth.

représenter to represent.

reproche *m.* reproach.

reprocher to reproach, find fault with.

républicain *m.* republican: one who favors a republican form of government.

République (française): the Third Republic was established in France at the news of the capitulation of Sedan (Sept. 4, 1870). At the time of the action of this play (1881), Jules Grévy was president of the Republic, being its third president.

réservé reserved, prudent.

réserver to reserve, hold back, except; **ceci réservé,** with this reservation.

résidence *f.* abode, dwelling; **être en —,** to stay, be staying.

résolu determined, resolved.

résolument resolutely.

résolution *f.* determination, resolution.

résoudre to solve, resolve.

respect *m.* respect, regard; **il m'a chargé de vous présenter ses —s,** he told me to give you his regards.

respirer to breathe, breathe freely.

ressentir to feel, experience.

ressusciter to revive, resuscitate.

reste *m.* rest, remainder; **du —,** besides, withal, in fact, by the way, anyhow.

rester to remain, stay, stay here, be left; **il me reste,** I (still) have left; **elle est restée seule,** she was left alone (in the world).

résultat *m.* result.

résumé *m.* recapitulation; **en —,** to sum up.

retard *m.* delay; **être en —,** to be late.

retenir to detain, restrain, hold back, keep back, suppress.

retirer to pull back, withdraw; **se —,** to withdraw, retire, leave.

retour *m.* return; **être de —,** to be back; **de —,** back; returned.

retourner to return; **se —,** to turn round.

retrouver to find, find again, recover; **aller —,** to go back to.

réussi successful.

réussir to succeed.

revanche *f.* revenge, retaliation.

rêve *m.* dream.

réveiller to wake; **se —,** to wake up, awake.

révéler to reveal.

revenir to return, come back; to fall to, be due; **il me revient à la pensée,** there occurs to me.

révérence *f.* bow, courtesy.

rêveur *m.* dreamer, poet.

revoir to see again; **au —,** good-by, farewell.

revue *f.* review, magazine.

riche rich.

ridicule ridiculous.
ridicule *m.* ridicule, foolishness.
rien anything, nothing; **ne . . . —**, nothing, not anything; **— ne**, nothing; **— du tout**, nothing at all; **— que**, solely, alone; **— qu'à l'embrasser**, merely from kissing her.
rigueur *f.* rigor, necessity; **de —**, obligatory; **tenir —**, to remain angry.
rire to laugh; **— de**, to laugh at, make fun of; **c'est fini de — maintenant**, there will be no more laughing now; the laughter is over now.
rire *m.* laugh, laughter.
risquer to risk.
river to rivet, chain.
robe *f.* dress; **en — courte**, in short dresses; **— montante**, high-necked dress.
roi *m.* king.
roman *m.* novel, romance; **et dont l'histoire est tout un —**, and the story of whose life is just like a novel.
romanesque romantic, sentimental.
rose pink, rose-colored.
rouge red.
rougeole *f.* measles.
rougir to blush.
route *f.* way, road; **faire fausse —**, to take the wrong track.
ruban *m.* ribbon, decoration.
rue *f.* street.

S

sac *m.* satchel, bag.
sacré sacred, inspired.
sage wise, good, sensible.
saint sacred, holy.
Saint-Évremond: Charles Marguetel de Saint-Denis, Seigneur de Saint-Évremond, French courtier, wit, and littérateur; born 1613 (*or* 1616) at Saint-Denis-du-Guast, died 1703 in London.
Saint-Germain: Saint-Germain-en-Laye, historic town of 17,000 inhabitants, depart. Seine-et-Oise, 13 miles from Paris by the direct route; delightfully situated, overlooking the Seine, with fine terrace and forest.
Sainte-Clotilde: one of the handsomest and most costly modern churches in Paris (**rive gauche**, east of the *Esplanade des Invalides*). The square in front (*Place de Bellechasse*) is decorated with a fine marble group by Delaplanche (*French sculptor*, 1836–1891), *l'Éducation maternelle*. Like the church *Saint-Thomas d'Aquin*, *Saint-Clotilde* is noted for the aristocratic weddings that are celebrated there.
sainte-nitouche (*from* **n'y touche**, *touch not*) *f.* demure, saintly person; prim Methodist.
saisir to seize.
salle *f.* hall; **— à manger**, dining-room.
salon *m.* parlor, reception room; literary circle (*or* meeting); salon.
saluer to bow, bow to, salute, greet.
salut *m.* bow, greeting.
sang *m.* blood.
sanglot *m.* sob.

sangloter to sob.
sans without; — **cela,** without that; without them.
sanscrit *m.* Sanskrit, the ancient language of the Hindoos.
sanscrit Sanskrit.
santé *f.* health.
sauf except, save.
sauter to spring, jump; **elle lui saute au cou,** she throws her arms about his neck.
sauver to save; **se —,** to run away.
savant learned, scholarly.
savant *m.* scholar, savant; **Journal des —s,** Academic Monthly (*Parisian scientific review, profoundly scholarly, founded 1665*).
savoir to know, know how (to); *condit.* can, be able; (**pas**) **que je sache,** (not) to my knowledge; (not) as far as I know; **tu sais,** you know, let me tell you; you know? you remember?
scalpel *m.* scalpel, surgeon's scalpel.
scandale *m.* scandal.
scène *f.* scene, stage; **mise en —,** setting, stage setting, stage decoration.
sceptique skeptical.
Schopenhauer: Arthur Schopenhauer, German philosopher, author of *Die Welt als Wille und Vorstellung*, and of learned essays on love (1788–1860). "The Nirvana of the Buddhists (affranchisement from the evils of worldly existence by annihilation or absorption into the divine) is the ultimate desideratum in the view of Schopenhauer."
Schumann: Robert Schumann, German musical critic and composer (1810–1856).
scientifique scientific.
se himself, herself, itself, themselves; *reflexive verbs are often to be translated by verbs intransitive or passive*; **qui est-ce qui s'embrasse donc comme ça?** who kisses like that, anyhow?
sec, sèche dry, hard, unfeeling; **un cœur —,** a hard, unfeeling person.
secrétaire *m.* secretary; — **général,** secretary general, chief secretary.
secrétariat *m.* secretary-ship, office of secretary.
séduction *f.* charm, fascination, cajolery, intrigue.
séduire to charm, bewitch, captivate, beguile.
séduisant charming, captivating, bewitching.
seize sixteen; **à — ans,** at sixteen.
séjour *m.* stay, sojourn.
selon according to.
semaine *f.* week; **deux fois par —,** twice a week.
semblable similar; — **à,** similar to; like, like unto.
sembler to seem, appear.
Sénat *m.* Senate: the upper and less numerous branch of the legislature in France; twice abolished, it was reorganized for the third time by the constitution of 1875.
senateur *m.* senator.
sens *m.* sense; **le — commun,** common sense; **le bon —,** good sense, common sense.

sentiment *m.* feeling, sentiment; **j'ai le — de ne pas avoir fait . . .**, I have the feeling that I have not done . . .
sentir to feel; to smack of, savor of; **se —**, to feel.
sept seven.
sérieusement seriously, really.
sérieu-x, -se serious, earnest; **gens —**, serious people; bores; **au —** seriously; in earnest.
serre *f.* conservatory; **—-salon**, hall in a conservatory.
serrer to press, clasp, grasp, shake, squeeze.
servir to serve, be of service (use *or* advantage); **se — de**, to use; **à quoi cela m'a-t-il servi?** of what profit has it been to me?
seul alone, single, solitary; **un —**, only one; one only.
seulement only, even, merely.
sévère stern, strict, severe.
sévèrement severely, sternly.
si *conj.* if, whether; **—** (*or* **pour**) . . . **que**, however.
si *adv.* so, as such; **— peu que**, as little as.
si (*asseverative particle after an expressed or implied negation or contradiction*), yes, yes you did.
siècle *m.* century, age.
siège *m.* seat, chair.
sien *m.* **sienne** *f.* his, hers.
signer to sign (one's name).
signifier to signify, mean.
silencieu-x, -se silent; *subst. m pl.* silent people.
simplement simply, plainly; **tout —**, merely, simply; nothing more than; that's all.
singulier, singulière strange, peculiar, queer.
sitôt so soon, as soon.
situation *f.* position, situation, condition (*or* state) of affairs.
six six.
sœur *f.* sister; **la — Séraphine,** Sister Seraphina.
soie *f.* silk.
soigner to care for, nurse; to cultivate, court.
soin *m.* care.
soir *m.* evening; **hier —**, yesterday evening; last night; **journal du —**, evening paper.
soirée *f.* evening, evening reception.
soit (*third person singular, pres. subjunctive of* **être**), be it so; all right; **— . . . —**, whether . . . or; either . . . or.
sol *m.* soil.
soleil *m.* sun, sunlight; **faire du —**, to be sunny; **il faisait un beau —**, the sun was shining brightly.
solide solid, substantial.
solliciter to apply, solicit, apply for office, be a candidate (for office).
sombre dark; **il fait —**, it is dark.
son *m.* **sa** *f.* **ses** *pl.* his, her.
songer to think, dream.
sonner to ring, strike, sound; **quatre heures sonnent**, the clock strikes four.
sophiste *m.* sophist.
sorte *f.* kind, sort; **en quelque —**, in a way, in a measure, as it were.
sortir to go out.
sot, -te foolish.

sottise *f.* folly, foolish thing, anything foolish.
sou *m.* cent, sou.
souffle *m.* breath.
souffler to blow, breathe, whisper, prompt, suggest.
souffleter to slap, box (one's) ears.
souffrir to suffer, permit, allow (it).
souhaiter to wish.
soumettre to submit, subdue, subject, refer; **se —**, to submit, yield.
sourire to smile.
sourire *m.* smile.
souris *f.* mouse.
sous under, beneath.
sous-préfet *m.* sub-prefect, **sous-préfet**; administrative head of an **arrondissement.**
sous-préfète *f.* wife of the sub-prefect (*or* **sous-préfet**).
soutenir to sustain, support, uphold, encourage, maintain, claim; **cela ne se soutient pas,** that is not tenable.
souvenir (se) de to remember.
souvent often.
souverain sovereign, supreme.
spécialement especially.
spectacle *m.* play; **au —**, at (*or* to) the theater.
sphinx *m.* sphinx: Grecian monster, with the face and breast of a woman on the winged body of a lion, whose riddle Œdipus solved.
spirituel, -le witty.
stupéfait stupefied, dumfounded.
style *m.* style, literary style.
suavité *f.* suavity, sweetness, charm.
subit sudden.
succès *m.* success.
successeur *m.* successor.
sucré sugared, sweetened.
suffire to suffice, be sufficient.
suite *f.* following, continuation, series, succession, result; **tout de —**, directly, immediately; **à la — de**, after, following, at the conclusion of.
suivre to follow; to follow (*an argument*); to take (*a course of lectures*).
sujet *m.* subject; **au — de**, about, concerning.
Sully-Prudhomme: René François Armand Sully-Prudhomme, French poet of the Parnassian school, born in Paris in 1839.
summum (*Lat.*) *m.* summit, culmination, climax.
suppliant beseeching, pleading.
supplier to beg, beseech; **je vous en supplie,** I beg (of) you.
supporter to endure, bear.
supposer to suppose.
sur on, at, over, above.
sûr sure; **bien —**, quite sure.
sureté *f.* safety, security.
surfaire to overrate, exaggerate; **c'est bien ici que se font, se défont et surfont les réputations, les situations et les élections,** it is right here that reputations, positions, and offices are made, unmade, and made "prodigious."
surhumain superhuman.
surprendre to surprise.
surpris *pp. of* **surprendre,** surprised.
surtout especially.
surveiller to watch over.
sympathie *f.* sympathy.

T

table *f.* table; **à —**, at (*or* to) dinner.
tableau *m.* painting; **tableau!** you can imagine the scene!
tabouret *m.* stool.
tâcher to try.
taille *f.* waist.
taire (se) to be silent; **tais-toi donc!** do be silent! **mais tais-toi donc, à la fin!** *will* you be silent!
tandis que while, whereas.
tant so much; **— de**, so much, so many; **— mieux**, so much the better; **— que tu voudras**, as much (*or* as many) as you like; **— de quoi se vanter**, so much to boast (*or* be proud) of.
tante *f.* aunt; **— à succession**, aunt with a fortune to leave; **la — de madame**, (*here*) madame de Céran's aunt; **ma —** (*in direct address*), aunt.
tantôt soon, presently; (*with a past tense*) a while ago; **il y a — soixante ans**, now nearly sixty years ago.
tapisserie *f.* needlework, embroidery.
taquin teasing; a tease.
tard late.
tarder to delay, be long; **sans —**, without delay.
Tartuffe *m.* Tartuffe: type of the hypocrite in Molière's comedy.
tasse *f.* cup.
te you, to you; thee, to thee.
tel, -le such, such a; **un —**, such a.
temps *m.* time, weather; **à —**, in time; **il était —**, it was time; just in time; none too soon; **que de — perdu!** what a waste of time!
tendance *f.* tendency.
tendre to hold out; to stretch.
tendre tender, loving; lovingly.
tendrement tenderly, lovingly.
tendresse *f.* tenderness, love.
tenir to have, hold; **— à**, to attach importance to; to desire earnestly; **se — à quatre**, to strive hard, work like a horse; **— pour**, to hold to, be in favor of, be on the side of; **en — pour**, to be in love with; **à quoi s'en —**, what to expect, what to depend upon, how things really are; **tiens-toi! tenez-vous!** be careful (prudent *or* circumspect)!
tiens! tenez! (*imperative forms of* **tenir**, *exclamatory use*), here, there, look, notice, well, of course, by the way, apropos; *to be translated as the context requires.*
tenter to try.
tenue *f.* bearing, dignity, style, deportment, decorum, etiquette.
terme *m.* term, expression.
terminer to end, finish, terminate; **être terminé**, to be over.
terminus (*Lat.*) *m.* bound, limit, end, extremity.
terre *f.* earth, land; **reprendre —**, to alight, return to earth.
terrestre terrestrial, of the earth.
terrifier to terrify.
tête *f.* head; **coup de —**, inconsiderate act; freak.
thé *m.* tea; **prendre le —**, to drink (*or* have) tea.
théâtre *m.* stage, theater.

Théâtre-Français: famous French playhouse, *rue de Richelieu* and *place du Théâtre-Français*, near the *Palais-Royal*, Paris, the home of the *Comédie française;* also, the name of the theatrical company, as often applied as the title *Comédie française*. It was founded by the union of the *Théâtre Guénégaud* (occupied by Mlle Molière and her troupe) with its rival, the *Hôtel de Bourgogne*, October 21, 1680.

théogonie *f.* theogony: genealogy of the gods.

tien *m.* **tienne** *f.* thine; yours.

tirer to draw, take, pull out, pull down; **se — de**, to get out of; to extricate oneself from.

tiroir *m.* drawer.

tison *m.* brand, firebrand.

Tocqueville: Alexis Charles Henri Clérel de Tocqueville, French statesman and political writer, author of *Democracy in America* (1835–1839) and the *Ancien régime* (1850).

toi thee, thou; you; **à —** (*possession*), your, (of) yours.

toile *f.* curtain.

toilette *f.* toilet; **en grande —**, in full dress, in evening dress.

tombe *f.* tomb, grave.

tombeau *m.* tomb, grave, death.

tomber to fall, fall out; **— mal**, to come inopportunely; to strike the wrong person; **faire —**, to knock off; **se laisser —**, to drop, fall, sink.

ton *m.* tone, voice, manner.

tort *m.* wrong; **avoir —**, to be wrong.

tôt soon, early; **le plus — sera le mieux**, the sooner the better.

touche *f.* key (of a piano).

toucher to touch.

touffe *f.* tuft, clump; **—s d'arbustes**, dense shrubs.

toujours always, still; **— plus**, more and more; **va —!** blunder on! rattle on! **cherchez —!** keep on looking! **je ne trouve — pas**, I haven't yet found; **en le regardant —**, still looking at him; continuing to look at him.

tour *m.* turn, circuit, ballot, short walk, stroll; **faire un —**, to take a short walk; **un — de jardin**, a walk (*or* stroll) in the garden; **faire le — de**, to go round.

tourmenter to torment, bother, trouble, vex.

tourner to turn; **se —**, to turn (round).

tousser to cough.

tout *subst. adj. adv.* everything, all; any, all, sole; entirely, quite, very; **du —**, at all; a bit of it; **tou(te)s les deux**, both; **— à coup**, **— d'un coup**, suddenly; all at once; **— à fait**, quite, entirely, exactly; **— en regardant**, while looking (at).

toute-puissance *f.* omnipotence.

tracer to trace, map out.

traduire to translate.

tragédie *f.* tragedy.

tragique tragic, tragical.

traité *m.* treaty.

traiter to treat, treat of.

tranquille quiet, in peace, alone,

tranquil; **soyez —**, don't worry, have no fear.

travail *m.* work; **en plein —**, hard at work.

travailler to work, study.

travers *m.* breadth; **à —**, across, through.

treize thirteen.

trembler to tremble.

trente thirty.

Trente: Trent (*or* Trient), manufacturing city, Tyrol, Austria; population 25,000; here the *Tridentine Council* (*or Council of Trent*), called by Pope Paul III to settle questions of dogma arising out of the Reformation, was in session from 1545 to 1563.

très very, very much, greatly.

Trinité bouddhique (*probably for* **Trinité brahmanique**) *f.* Hindoo Trinity; Trimurti; composed of Brahma, Vishnu, and Siva, three manifestations of Brahm (the Divine Essence, the One First Cause, the All in All). This trinity is of comparatively late formation. It is unknown in the Mahabharata.

trois three; **et de —**, and that's No. 3.

troisième third.

tromper to deceive; **se —**, to be mistaken, make a mistake.

trop too, too much; **— de**, too much, too many; **— de quoi**, too much, wherewith to . . .

troubler to disturb, agitate, confuse, disconcert.

trouver to find, consider, think; **se —**, to be.

tss *sound of the voice indicative of vexation, or to impose silence.*

tu thou; you; *familiar pronoun, used between near relatives, intimate friends, and to children and animals.*

tuer to kill.

tumulus (*Lat.*) *m.* (*pl.* **tumuli**) tumulus, mound of earth.

tuteur *m.* guardian.

tutoyer to thee-and-thou a person; to say **tu** and **toi** to a person (*in contradistinction to* **vous**).

Tyrtée *m.* Tyrtæus: Grecian poet who fired the hearts of the Spartans in the second war of Sparta with Messenia; 7th century B.C.

U

un, une a, an, one; **les —s**, some; **et d'—**, and that's No. 1.

unique only, sole, solitary.

uniquement only, solely, exclusively.

univers *m.* universe.

utile useful.

V

va come, go, indeed, I assure you, nonsense; *to be translated as the context requires.*

Vadius: pedantic savant in Molière's comedy *Les Femmes savantes.*

valoir to be worth; **— bien**, to be as good as; **— mieux**, to be better, be worth more; **en — la peine**, to be worth the trouble, be worth while.

vanité *f.* vanity.

vanter to vaunt, be proud, boast of;

tant de quoi se —, so much to boast (*or* be proud) of.
veau *m.* calf, veal.
Védas *m. pl.* Vedas (*Rig-Veda*, *Yajur-Veda*, *Sama-Veda*, and *Atharva-Veda*), the most ancient sacred literature of the Hindoos, and the oldest religious records known.
veiller to watch.
velouté soft, velvety.
vendre to sell.
venir to come; — à, to happen to; — de: il vient de, he has just; il venait de, he had just; et vous venez me parler . . . , and you come talking to me . . . ; qu'est-ce que tu viens faire ici? what do you want here? what are you doing here?
véritable true, real, regular.
vérité *f.* truth; en —, indeed, really.
verre *m.* glass, lens.
vers to, towards.
vers *m.* verse; des —, verses, poetry.
verser to shed, pour.
vestibule *m.* vestibule, porch.
veuillez (*imperative of* vouloir), please; be so kind as to.
veuve *f.* widow.
victorieusement victoriously.
vide empty.
vie *f.* life.
vieille *f.* old woman, old lady.
vieillir to become old; plus je vieillis, the older I become.
vieux *m.* old man, old gentleman.
vieux, vieil *m.* **vieille,** *f.* old.
vi-f, -ve lively, quick, vivacious; avoir l'œil —, to be sharp-sighted, have sharp eyes.
vilain ugly, bad; *subst.* wretch, horrid creature.
ville *f.* city, town.
vingt twenty.
vingt-huit twenty-eight; de — ans, of twenty-eight.
vingt-sept twenty-seven.
violemment violently, with violence, with a slam.
violence *f.* violence, force.
virginité *f.* virginity, maidenhood.
visage *m.* face.
visiblement visibly, clearly, evidently.
vite quick, quickly.
vitré glazed, inclosed by windows, with French (*or* casement) windows.
vivement quickly, eagerly, vivaciously.
viveur *m.* fast (*or* loose) liver, one who lives for pleasure; viveur.
vivre to live.
vœu *m.* vow, prayer, wish.
voici here, here is, here are; le phénomène que —, the following phenomenon.
voie *f.* way, path, road.
voilà there, there is, there are, it is, that is, these (*or* those) are; voilà! here you are! there you have it! that's all! — six mois que je m'applique, for six months I have been working hard.
voir to see; faire —, to show, point out; je n'y vois pas, I can't see; il n'y a qu' à la —, you need only to see her.

voiture *f.* carriage.

voix *f.* voice, vote ; **à mi- —**, in a low tone ; **as-tu une jolie —**, what a pretty voice you have ; **a-t-il une —**, what a voice he has.

vol *m.* flight ; **âme de haut —**, inspired soul, wingèd soul, soul with lofty aspirations.

voler to steal, rob, fly ; **— à . . . (quelqu'un) . . . (quelque chose)**, to rob . . . (*some one*) . . . (*of something*).

volonté *f.* will, volition.

volontiers gladly, willingly.

Voltaire : the assumed name of François Marie Arouet ; born at Châtenay, February 20, 1694, died at Paris, May 30, 1778. A great French writer, famous as a poet, dramatist, historian, and letter-writer. He bitterly attacked the church as an institution.

volupté *f.* delectation, delight ; *pl.* delights, sweets.

votre, *pl.* vos your.

vôtre yours.

vouloir *m.* will, wish.

vouloir to will, wish, want, try, be willing ; **— bien,** to be willing ; **je veux bien,** I am willing, I consent, I will ; **je voudrais (bien),** I should like to ; **— dire,** to mean ; **si vous le voulez bien,** with your kind permission ; **veux-tu bien (en finir)** ! stop ! will you stop ! **je ne veux pas,** I don't wish to ; I will not ; I won't ; **qu'est-ce que tu veux ? qu'est-ce que vous voulez ? que voulez-vous ?** what can you expect ? what can I do ? how can I help it ? **voulez-vous que je . . . ?** shall I . . . ? **comme tu voudras,** as you like ; **si peu que vous voudrez,** no matter how little ; **elle voudrait bien voir un peu,** she would just like to see ; **je le veux,** I command it ; it is my will.

vous you, to you.

voyage *m.* journey, trip, voyage.

voyons come, oh come, come now, say, tell me, you don't mean to say, stop, pray don't ; *to be translated as the context requires.*

vrai real, true ; **bien vrai ?** really ? truly ?

vraiment really, truly, indeed.

vraisemblablement probably, in all probability.

vue *f.* view, sight.

vulgaire common, ordinary ; *subst.* common people.

Vyasa : supposed compiler of the Vedas.

W

wagon *m.* railway carriage, train.

Y

y there, in (on *or* upon) it, of it, of them ; **— être,** to be there ; to see clearly ; to understand it ; to have it ; **j'y suis,** I have it ; I understand it ; **ça — est,** it's done ; it's over ; **— être pour (quelque chose),** to have something to do with it, have some part in it ; **j'y ai pensé,** I have thought of it ; *sometimes to be omitted in trans-*

lating; **nous — entrons,** we come (*or* go) in; **je n'y vois pas,** I can't see.

yeux *pl. of* **œil,** *m.* eyes; **jeter les —,** to cast a glance; to glance; **dans les —,** in (*or* into) the eyes; right in one's face; straight at; **plonger leurs — (*or* leurs regards) dans leurs — (*or* leurs regards),** to gaze deeply into each other's eyes; to bask in each other's glances.